D1294118

mathématique

PANORAM@TH

1er cycle du secondaire

manuel
A
VOLUME 1

Richard Cadieux   **Isabelle Gendron**   **Antoine Ledoux**

LES ÉDITIONS
CEC
QUEBECOR MEDIA

8101, boul. Métropolitain Est, Anjou (Québec) Canada H1J 1J9
Téléphone : (514) 351-6010 • Télécopieur : (514) 351-3534

Directrice de l'édition
Véronique Lacroix

Directrice de la production
Danielle Latendresse

Chargée de projet
Diane Karneyeff

Réviseur linguistique
Sylvain Archambault

Correctrice d'épreuves
Viviane Deraspe

Recherche iconographique
Monique Rosevear

Recherche en histoire
Hélène Kayler

Collaborateurs
André Deschênes
Jocelyn Dagenais

Conception et coordination
Dessine-moi un mouton inc.

Réalisation graphique
Productions Fréchette et Paradis inc.

Illustrations techniques
Dan Allen, Marius Allen et Bertrand Lachance

Illustrations d'ambiance
Yves Boudreau

Dans cet ouvrage, la féminisation des titres de fonctions et des textes s'appuie sur des règles d'écriture proposées par l'Office de la langue française dans le guide *Au féminin*, Les publications du Québec, 1991.

Les Éditions CEC inc. remercient le gouvernement du Québec de l'aide financière accordée à l'édition de cet ouvrage par l'entremise du Programme de crédit d'impôt pour l'édition de livres, administré par la SODEC.

© 2005, Les Éditions CEC inc.
8101, boul. Métropolitain Est
Anjou (Québec) H1J 1J9

Dépôt légal : 2e trimestre 2005
Bibliothèque nationale du Québec
Bibliothèque nationale du Canada

ISBN 2-7617-2137-3
ISBN 978-2-7617-2137-0

Imprimé au Canada
4   5   08   07

Les auteurs et l'éditeur remercient les personnes suivantes qui ont participé à l'élaboration du projet à titre de consultants ou de consultantes.

Consultation scientifique
Jean-Guy Smith, réviseur scientifique

Frédéric Gourdeau, professeur de mathématiques, Université Laval

Matthieu Dufour, professeur au département de mathématiques, Université du Québec à Montréal

Dominic Voyer, professeur en didactique des mathématiques, Université du Québec à Rimouski, Campus de Lévis

Consultation pédagogique
Mélanie Tremblay, enseignante, école secondaire Les Compagnons de Cartier, c.s. des Découvreurs

Marylène Bastille, enseignante, école secondaire Saint-Pierre et des Sentiers, c.s. des Premières-Seigneuries

Steve Bélanger, enseignant, école secondaire Robert-Ouimet, c.s. de Saint-Hyacinthe

Chantal Caissié, enseignante, école secondaire des Rives, c.s. des Affluents

Paule Delamarre, enseignante, Petit Séminaire de Québec

Gérald Devost, enseignant, collège Saint-Louis, c.s. Marguerite-Bourgeoys

Martin Gagnon, enseignant, école secondaire Marie-Curie, c.s. de Laval

Isabelle Hachez, enseignante, école secondaire André-Laurendeau, c.s. Marie-Victorin

Anne Labbé, enseignante, école secondaire Louis-Riel, CSDM

Geneviève Morneau, enseignante, école secondaire Mgr-Richard, c.s. Marguerite-Bourgeoys

France Orichefsky, enseignante, collège Jean de la Mennais

Julie Piette, enseignante, école secondaire Saint-Luc, CSDM

Dominic Samoisette, enseignant, école secondaire Saint-Martin, c.s. de Laval

Patrick St-Cyr, enseignant, Académie Les Estacades, c.s. Chemin-du-Roy

Monique Thibault, superviseure en pédagogie de la faculté de mathématiques, UQAM

Richard Cadieux est enseignant à l'école secondaire Jean-Baptiste Meilleur, c.s. des Affluents.

Isabelle Gendron est enseignante au Collège Mont-Royal.

Antoine Ledoux est enseignant au Collège Durocher Saint-Lambert.

Table des matières

Présentation du manuel

Ce manuel comporte quatre panoramas. Chaque panorama présente un *projet*, des *unités* et les rubriques « Société des maths », « À qui ça sert ? » et « Tour d'horizon ». Le manuel se termine par un « Album ».

Projet

Les quatre premières pages de chaque panorama proposent la réalisation d'un projet. Ce projet vise le développement des compétences disciplinaires et transversales, et l'appropriation des notions mathématiques abordées dans chacune des unités du panorama.

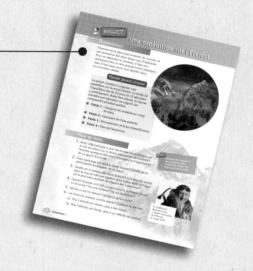

Unités

Un panorama est divisé en unités, chacune introduite par une *situation-problème* qui est suivie de quelques *activités*, du « Calepin des savoirs », d'un « Coup d'œil » et d'un « Zoom ». Chaque unité permet de cheminer dans les trois temps d'apprentissage nécessaires au développement des compétences disciplinaires et transversales et à l'appropriation des apprentissages.

1ER TEMPS : PRÉPARATION DES APPRENTISSAGES

Avant d'aborder une unité, des questions favorisant la réactivation de connaissances antérieures et de diverses stratégies sont proposées dans le guide d'enseignement.

2E TEMPS : RÉALISATION DES APPRENTISSAGES

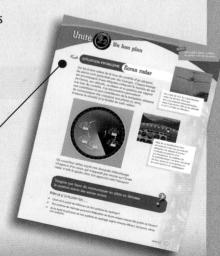

Situation-problème

La situation-problème est un élément déclencheur comportant une seule question qui est accompagnée de pistes d'exploration. Ces pistes servent à mieux cerner la question. La résolution de la situation-problème nécessite le recours à plusieurs compétences et à différentes stratégies, et mobilise des connaissances.

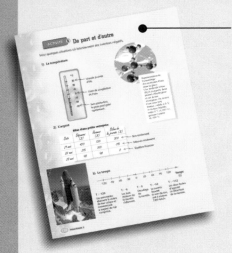

Activité

Les activités favorisent la compréhension des notions mathématiques et peuvent prendre plusieurs formes : questionnaire, manipulation de matériel, construction, jeu, intrigue, simulation, texte historique, etc.

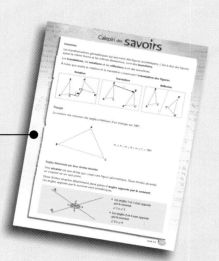

Calepin des savoirs

Cette section présente un résumé des éléments théoriques vus dans l'unité. Des exemples accompagnent les énoncés théoriques afin de favoriser la compréhension des différentes notions.

3ᴱ TEMPS : INTÉGRATION ET RÉINVESTISSEMENT DES APPRENTISSAGES

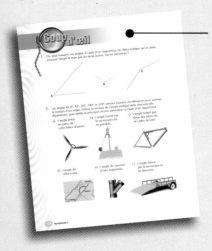

Coup d'œil

Le « Coup d'œil » présente une série d'exercices et de problèmes contextualisés permettant de développer des compétences et de consolider les apprentissages faits dans l'unité. Cette rubrique se termine par une ou deux situations-problèmes.

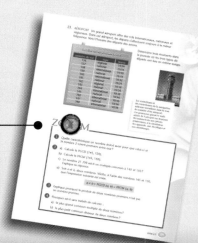

Zoom

Le « Zoom » permet d'approfondir, en équipe ou en groupe classe, des notions mathématiques et d'en discuter. Grâce à cette rubrique, l'élève peut confronter sa compréhension à celle des autres élèves et, ainsi, intégrer et réinvestir ses apprentissages.

Des rubriques particulières

Société des maths

La « Société des maths » relate
l'histoire de la mathématique et
la vie de certains mathématiciens et
de certaines mathématiciennes ayant
contribué au développement de
notions mathématiques directement
associées au contenu du panorama.
Une série de questions permettant
d'approfondir le sujet accompagne
cette rubrique.

À qui ça sert ?

La rubrique « À qui ça sert ? » présente
une profession ou une carrière où sont
exploitées les notions mathématiques
étudiées dans le panorama. Une série
de questions permettant d'approfondir
le sujet accompagne cette rubrique.

Tour d'horizon

Le « Tour d'horizon » clôt chaque panorama et
présente une série de problèmes contextualisés
permettant d'intégrer et de réinvestir les
compétences développées et toutes les notions
mathématiques étudiées dans le panorama.
Cette rubrique se termine par une ou des
situations-problèmes.

Dans le « Coup d'œil » et le « Tour d'horizon », lorsqu'un
problème comporte des données réelles, un mot clé écrit en
majuscules et en bleu indique le sujet auquel il se rapporte.

Album

Situé à la fin du manuel, l'« Album » contient plusieurs informations susceptibles d'outiller l'élève dans ses apprentissages. Il comporte trois sections.

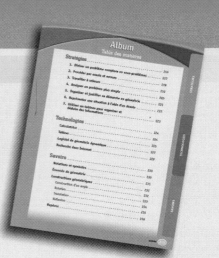

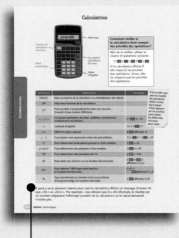

La section « Stratégies » présente différentes stratégies de résolution de situations-problèmes. Chaque stratégie est expliquée et accompagnée d'un exemple concret.

La section « Technologies » donne des explications sur les principales fonctions d'une calculatrice, sur l'utilisation d'un tableur et d'un logiciel de géométrie dynamique, et sur la recherche dans Internet.

La section « Savoirs » présente les notations et symboles utilisés dans le manuel. Des énoncés de géométrie et différentes constructions utiles en géométrie sont également proposés. Cette section se termine par un glossaire et un index.

Les pictogrammes

Indique qu'une fiche reproductible est offerte dans le guide d'enseignement.

Indique que l'activité peut se faire en travail coopératif. Des précisions à ce sujet sont données dans le guide d'enseignement.

Indique que l'utilisation de la technologie est possible. Des précisions sont données dans le guide d'enseignement.

Panorama 1

De la numération aux diagrammes statistiques

Les nombres font partie de notre quotidien. Que ce soit pour compter des objets, quantifier le temps, acheter un chandail, mesurer des surfaces ou évaluer une vitesse, nous utilisons des nombres. Mais d'où proviennent ces nombres ? À quoi servent-ils ? Dans ce panorama, tu compareras quelques systèmes de numération afin de suivre l'évolution des nombres d'hier jusqu'à aujourd'hui. Tu utiliseras ces nombres avec des opérations pour estimer, compter, mesurer et calculer. Tu construiras aussi des diagrammes et effectueras des calculs statistiques.

PROJET

Une expédition sur l'Everest

Société des maths

Histoire de la numération

À qui ça sert ?

Spécialiste en gestion de crise

Une expédition sur l'Everest

Présentation

L'Everest est le plus haut sommet du monde, et son ascension fait rêver beaucoup d'alpinistes. Pour en atteindre le sommet, il faut non seulement être en très grande forme physique, mais il faut aussi avoir tout planifié dans les moindres détails.

Mandat général proposé

Ce projet consiste à organiser une expédition sur le mont Everest. La durée de l'expédition est de 22 jours et 35 alpinistes y participeront. Avant leur départ, tu devras remettre aux alpinistes un rapport qui comprendra plusieurs parties.

- **Partie 1 :** Transport du matériel au camp de base.
- **Partie 2 :** Inventaire de l'eau potable.
- **Partie 3 :** Recensement et fiche d'identification.
- **Partie 4 :** Plan de l'ascension.

Mise en train

1. As-tu déjà participé à une randonnée en montagne ou à une excursion où tu devais transporter du matériel? Nomme quelques éléments nécessaires à l'organisation de ce genre d'activité.

2. Dans quel pays est situé le mont Everest? Quelle est la particularité du drapeau de ce pays?

3. Quelle est la hauteur du mont Everest? Combien de monts dans le monde ont une hauteur d'au moins 8000 m? Quel est le plus haut sommet de chacun des continents?

4. Quand l'Everest a-t-il été conquis pour la première fois par un homme? Par une femme? Par un Québécois?

5. Qu'est-ce qu'un sherpa? Qu'est-ce qu'un yack?

6. Les énoncés suivants sont-ils exacts? Explique ta réponse.

   a) Plus l'altitude est élevée, plus il fait chaud.

   b) Plus l'altitude est élevée, plus il est difficile de respirer.

PROJET Conserve les réponses à ces questions. Elles t'aideront à réaliser les autres parties du projet.

Le Québécois Bernard Voyer a réussi l'ascension de l'Everest le 5 mai 1999.

Partie 1 : Transport du matériel au camp de base

Des hélicoptères déposeront les membres de l'expédition avec tout leur matériel dans un village près du mont Everest, à une altitude de 2500 m. Le camp de base est à une altitude de 4000 m. C'est à cet endroit que l'on entreposera l'équipement nécessaire à l'expédition.

Voici quelques informations sur l'équipement à transporter au camp de base.

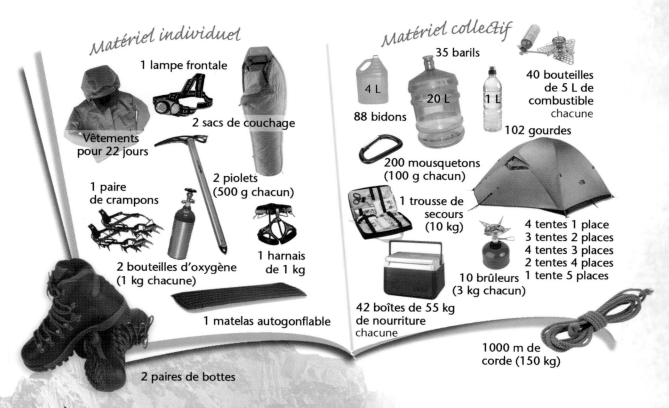

Matériel individuel

1 lampe frontale
2 sacs de couchage
Vêtements pour 22 jours
2 piolets (500 g chacun)
1 paire de crampons
2 bouteilles d'oxygène (1 kg chacune)
1 harnais de 1 kg
1 matelas autogonflable
2 paires de bottes

Matériel collectif

35 barils
40 bouteilles de 5 L de combustible chacune
88 bidons
4 L
20 L
1 L
102 gourdes
200 mousquetons (100 g chacun)
1 trousse de secours (10 kg)
4 tentes 1 place
3 tentes 2 places
4 tentes 3 places
2 tentes 4 places
1 tente 5 places
10 brûleurs (3 kg chacun)
42 boîtes de 55 kg de nourriture chacune
1000 m de corde (150 kg)

À cette altitude, une personne peut transporter, avec un sac à dos, une charge maximale de 30 kg. Avec une telle charge, elle parcourt le trajet entre le village et le camp de base en 6 h, et revient trois fois plus vite. Les alpinistes sont accompagnés de 21 yacks pouvant transporter chacun 160 kg. Toutefois, les yacks ne peuvent faire le trajet qu'une seule fois.

Mandat proposé

Planifier le transport de tout le matériel du village jusqu'au camp de base.

PISTES D'EXPLORATION...

■ As-tu estimé la masse de tous les objets à transporter ?

■ As-tu décrit le chargement des membres du groupe et des yacks lors de chaque montée au camp de base ?

■ As-tu estimé le temps qu'il faudra pour transporter tout le matériel du village jusqu'au camp de base ?

PROJET

Au besoin, consulte les unités 1.1 à 1.4, qui traitent des opérations sur les nombres et de l'estimation.

Tu peux utiliser un tableur pour organiser l'ensemble des données.

Partie 2 : Inventaire de l'eau potable

Lorsqu'on escalade des montagnes enneigées, on apporte rarement la quantité d'eau nécessaire pour toute la durée de l'expédition, pour ne pas s'encombrer inutilement.
On préfère souvent faire fondre de la neige, selon les besoins.
Il faut 10 L de neige pour obtenir 1 L d'eau.

Mandat proposé

Calculer la quantité de neige qu'un ou une alpiniste doit faire fondre par jour pour subvenir à ses besoins.

PISTES D'EXPLORATION...

- As-tu estimé la quantité d'eau consommée quotidiennement par un ou une alpiniste ?

- As-tu tenu compte de la quantité d'eau emportée ?

- Un tableau peut-il t'aider à organiser tes informations ?

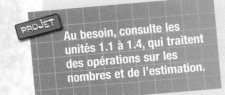

PROJET
Au besoin, consulte les unités 1.1 à 1.4, qui traitent des opérations sur les nombres et de l'estimation.

Tu peux utiliser un tableur pour organiser les informations dans un tableau.

Partie 3 : Recensement et fiche d'identification

Pour organiser cette expédition, il est important de bien connaître chaque membre de l'équipe.

Mandat proposé

Concevoir un modèle de fiche d'identification personnelle permettant de recueillir des informations quant à l'ascension.

La fiche doit comporter :

- huit informations qualitatives ;
- trois informations quantitatives ;
- un espace pour la photographie.

PISTE D'EXPLORATION...

- Les informations recueillies sont-elles pertinentes dans le cadre de l'expédition ?

Nom / Prénom
_____

Nationalité
_____

Langues parlées
■ Français ■ Espagnol
■ Anglais ■ Autres :_____

PROJET
Au besoin, consulte l'unité 1.5, qui traite de recensement.

Partie 4 : Plan de l'ascension

En altitude, le manque d'oxygène dans l'air peut provoquer de la fatigue, de l'insomnie et des étourdissements. Pour éviter le mal des montagnes, il faut grimper lentement, prévoir des périodes de repos, boire beaucoup d'eau, se vêtir correctement et prendre de l'oxygène.
Heureusement, notre corps peut s'adapter à l'altitude.

Les conseils du sherpa

- Durée de l'expédition : 22 jours.
- Atteinte du sommet le 19ᵉ jour.
- À partir du camp de base, ne pas grimper plus de 1000 m par jour.
- Dormir régulièrement plus bas que l'altitude maximale atteinte durant la journée.
- Ne pas dormir au-delà de 8000 m.
- Ne pas quitter le campement de base pendant plus de 7 jours.

Au besoin, consulte l'unité 1.5, qui traite des diagrammes.

Mandat proposé

À l'aide des conseils du sherpa, planifier l'ascension au sommet en complétant le diagramme à ligne brisée.

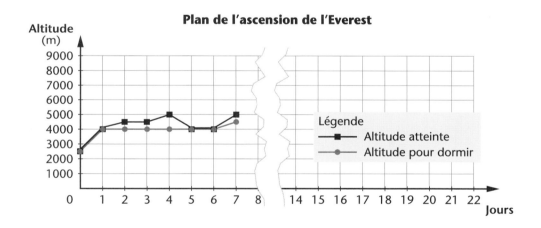

Plan de l'ascension de l'Everest

Légende
- ■— Altitude atteinte
- ●— Altitude pour dormir

Bilan du projet : Une expédition sur l'Everest

Présente un rapport complet comportant des tableaux, des diagrammes et des explications qui donnent des précisions sur :
- l'Everest ;
- le transport du matériel du village au camp de base ;
- l'inventaire de l'eau potable ;
- la fiche d'identification des alpinistes ;
- le plan de l'ascension.

Unité  1.1 Des chiffres et des nombres

PROJET

Cette unité t'aidera à réaliser les parties 1 et 2 de ton projet.

SITUATION-PROBLÈME — La numération égyptienne

Il y a environ 4000 ans, la civilisation égyptienne inventa un système de numération. Ce système permettait d'écrire des nombres et d'effectuer des calculs. Pour représenter les nombres, on utilisait des symboles nommés « hiéroglyphes ».

Pour écrire le nombre 6379, on utilisait 25 hiéroglyphes au total, alors qu'on n'en utilisait qu'un seul pour écrire le nombre 100 000.

Voici comment on peut écrire l'opération 3 420 156 + 283 060 à l'aide du système de numération égyptien.

On gravait les hiéroglyphes sur de la pierre ou on les dessinait sur des feuilles de papyrus, l'ancêtre du papier. Les textes religieux étaient souvent disposés en colonnes.

Compare le système de numération égyptien à celui qu'on utilise aujourd'hui.

PISTES D'EXPLORATION...

- As-tu écrit les nombres 6379 et 100 000 avec des symboles égyptiens ?
- As-tu écrit le résultat de l'addition présentée avec des symboles égyptiens ?
- Quelle est la base du système de numération égyptien ?
- Existe-t-il un symbole pour représenter le 0 ?
- L'ordre d'écriture des symboles est-il important ?
- S'agit-il d'un système de numération additif ou positionnel ?

ACTIVITÉ — Les palindromes

Certains nombres possèdent des caractéristiques bien particulières. C'est le cas des palindromes, qui représentent le même nombre lorsqu'on les lit dans les deux sens, soit de la gauche vers la droite ou de la droite vers la gauche.

a. Quels sont les palindromes parmi les nombres suivants?

A 12 345

B 734 437

C 4444

D 1212

Guillaume de Machaut, Ma fin est mon commencement

Bach, Mozart et d'autres musiciens célèbres ont composé des palindromes musicaux, soit des mélodies qui peuvent être lues de gauche à droite ou de droite à gauche.

b. Il existe aussi des mots qui sont des palindromes. Écris-en un.

c. Inscris le symbole approprié : < ou >.

1) 6996 ■ 10 101

2) 56 765 ■ 76 567

3) 42 333 324 ■ 9 999 999

4) 100 000 001 ■ 967 787 769

d. Reproduis la droite numérique ci-dessous et inscris les 5 palindromes qui se rapprochent le plus de 190.

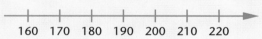

160 170 180 190 200 210 220

e. Les affirmations suivantes sont-elles vraies? Si une affirmation est fausse, donne un contre-exemple.

1) Si un nombre naturel compte plus de chiffres qu'un autre, alors il est nécessairement plus grand.

2) Si deux nombres naturels ont autant de chiffres, il suffit d'additionner leurs chiffres pour déterminer le nombre qui est le plus grand.

3) Lorsque des nombres naturels sont écrits en toutes lettres, celui qui est le plus grand est celui qui en compte le plus.

C'est un astronome et mathématicien anglais, **Thomas Harriot**, qui imagina les symboles d'inégalité < et >. On les découvrit dans un de ses ouvrages paru en 1631, soit 10 ans après sa mort.

Système de numération

Dans **notre système de numération,** la valeur associée à un chiffre dépend de la position de ce chiffre. C'est donc un système de type **positionnel.**

Chaque position vaut 10 fois la valeur de la position située immédiatement à sa droite. Ainsi, une centaine vaut 10 fois plus qu'une dizaine. **La base de notre système de numération est dix.**

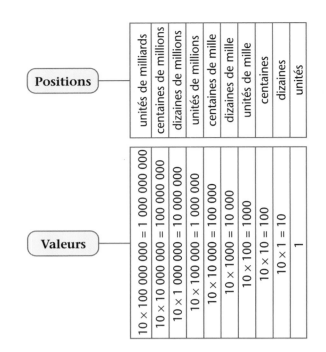

Positions									
unités de milliards	centaines de millions	dizaines de millions	unités de millions	centaines de mille	dizaines de mille	unités de mille	centaines	dizaines	unités

Valeurs									
$10 \times 100\,000\,000 = 1\,000\,000\,000$	$10 \times 10\,000\,000 = 100\,000\,000$	$10 \times 1\,000\,000 = 10\,000\,000$	$10 \times 100\,000 = 1\,000\,000$	$10 \times 10\,000 = 100\,000$	$10 \times 1000 = 10\,000$	$10 \times 100 = 1000$	$10 \times 10 = 100$	$10 \times 1 = 10$	1

Lecture et écriture d'un nombre

La **forme développée** d'un nombre est une écriture qui permet de mettre en évidence la valeur de chacun des chiffres de ce nombre.

Ex. : Le nombre 5643 se lit «cinq mille six cent quarante-trois».

	5		6		4		3
Positions	unités de mille		centaines		dizaines		unités
Valeurs	5000		600		40		3
Forme développée	5×1000	+	6×100	+	4×10	+	3×1

Ordre entre les nombres

Il existe plusieurs façons de représenter l'**ordre** entre des nombres. Par exemple, si l'on a les nombres 12, 66, 83 et 133, on peut :

- en dresser la **liste** selon un ordre **croissant** ou un ordre **décroissant** ;

  Ordre croissant : 12, 66, 83, 133.   Ordre décroissant : 133, 83, 66, 12.

- les placer sur une **droite numérique.** La flèche placée à l'extrémité droite indique le sens dans lequel les nombres augmentent ;

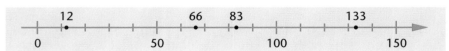

- utiliser le symbole « < » pour «**est inférieur à**» et le symbole « > » pour «**est supérieur à**». Dans les deux cas, le symbole pointe toujours vers le plus petit nombre.

  66 < 133   83 > 12

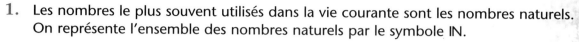

Coup d'œil

1. Les nombres le plus souvent utilisés dans la vie courante sont les nombres naturels. On représente l'ensemble des nombres naturels par le symbole IN.

   a) Quels sont les cinq premiers nombres naturels ?

   b) Combien y a-t-il de nombres naturels formés de trois chiffres ?

   c) Combien y a-t-il de nombres dans IN ?

2. Voici quelques expressions que l'on entend souvent. En mathématique, toutefois, elles sont incorrectes. Pourquoi ?

Le chiffre d'affaires de l'entreprise de ma mère est de 200 000 $.

856 465 919 est un grand chiffre.

Selon une superstition, 13 est un chiffre malchanceux.

3. Identifie la position qu'occupe le chiffre en rouge dans chacun des nombres suivants.

   a) 296

   b) 28 634

   c) 17 534 134

   d) 102 163

   e) 5 910 243 876

   f) 144 516

4. Voici la forme développée de quelques nombres. Détermine le nombre représenté par chacune.

   a) $(6 \times 10\ 000) + (1 \times 1000) + (8 \times 100) + (4 \times 10) + (1 \times 1)$

   b) $(4 \times 100\ 000) + (5 \times 100) + (2 \times 10)$

   c) $(9 \times 10\ 000\ 000) + (6 \times 100\ 000) + (4 \times 100) + (5 \times 10) + (2 \times 1)$

5. Dans l'exercice précédent, l'utilisation des parenthèses est-elle nécessaire ? Explique ta réponse.

6. Écris sous la forme développée chacun des nombres suivants.

a) 518   b) 1025   c) 42 030 048   d) 3

7. Inscris le symbole approprié : < ou >.

a) 157 ■ 248   b) 576 ■ 567

c) 22 222 ■ 222 222   d) 100 000 ■ 88 888

e) 456 789 ■ 987 654   f) 999 ■ 1001

8. Combien y a-t-il :

a) de dizaines dans une centaine ?

b) de dizaines dans une unité de mille ?

c) de centaines dans une centaine de millions ?

d) d'unités de mille dans une centaine de milliards ?

9. Place dans l'ordre croissant tous les nombres naturels de trois chiffres que l'on peut former avec les chiffres 3, 7 et 8 sans les répéter.

10. De nos jours, lorsqu'on écrit des nombres naturels comptant plus de quatre chiffres, on sépare les chiffres par tranches de trois. Observe chacune des paires de nombres suivantes et explique l'avantage de séparer ainsi les nombres.

En 1484, **Nicolas Chuquet**, un mathématicien français, proposa d'écrire les grands nombres en les divisant par tranches de six chiffres séparées par des points. Par exemple, il écrivait vingt-trois millions de la façon suivante : 23.000000.

A 8888888 et 8 888 888

B 22205550 et 22 205 550

23.000000

11. Dans un nombre naturel composé de neuf chiffres, quel nom donne-t-on à la position du chiffre situé :

a) à l'extrémité gauche ?   b) au centre ?   c) à l'extrémité droite ?

12. Sur la droite numérique ci-dessous, on a représenté trois nombres par des lettres.

Inscris le symbole approprié : < ou >.

a) *y* ▢ *x* b) *y* ▢ *z* c) *x* ▢ *z*

13. ZOOLOGIE Quelle est la valeur associée au chiffre 5 dans chacune des situations suivantes?

a) On a découvert, dans le Nord canadien, le fossile d'un mammouth dont on évalue la masse à 6570 kg.

b) L'autruche est le plus grand des oiseaux connus; elle peut atteindre une hauteur de 265 cm.

c) Jusqu'à maintenant, on a répertorié 1 756 320 espèces animales sur la terre.

Les mammouths sont apparus il y a six millions d'années. Ils ont disparu il y a plus de 4000 ans, sans doute à cause d'un changement brutal de climat.

14. CODE MORSE Le code morse, qui tient son nom de son inventeur, Samuel Morse, est fait de traits et de points. En t'inspirant des renseignements ci-contre, décode les années de naissance et de décès de Samuel Morse.

Chiffres du code morse

0	▬ ▬ ▬ ▬ ▬
2	● ● ▬ ▬ ▬
4	● ● ● ● ▬
6	▬ ● ● ● ●
8	▬ ▬ ▬ ● ●

a) ● ▬ ▬ ▬ ▬ ▬ ▬ ● ● ● ▬ ▬ ▬ ▬ ● ● ▬ ▬ ▬ ▬

b) ● ▬ ▬ ▬ ▬ ▬ ▬ ▬ ● ● ▬ ▬ ● ● ● ● ● ▬ ▬ ▬

ZOOM

1 Peut-on affirmer que le nombre correspondant à l'expression «dix-neuf mille dix-neuf cent dix-neuf» s'écrit 191 919? Explique ta réponse.

2 a) Quel nom donne-t-on au nombre 1 000 000 000 000 en français?

b) Quel nom donne-t-on au nombre 1 000 000 000 en anglais?

c) Quel problème cela soulève-t-il?

3 Que signifie chacun des symboles mathématiques suivants?

a) ≤ b) ≥ c) ≠

4 Si *a*, *b*, *c* et *d* représentent des nombres et que *a* < *b*, *b* < *c* et *b* < *d*, que peux-tu affirmer au sujet de la relation d'ordre entre :

a) *a* et *c*? b) *a* et *d*? c) *c* et *d*?

Unité 1.2 C'est tout naturel!

SITUATION-PROBLÈME Gauss, l'enfant prodige

Exaspéré par le comportement du jeune Carl Friedrich Gauss, son professeur lui donna à faire un calcul qui devait l'occuper un bon moment.

Carl Friedrich, veuillez calculer la somme des nombres de 0 à 100.

Quelques instants plus tard...

Voici, monsieur le professeur! J'ai terminé.

Comment Gauss a-t-il fait?

PISTES D'EXPLORATION...

- As-tu écrit le calcul à effectuer?
- Est-il possible de former plusieurs paires de nombres dont les sommes sont identiques?
- Comment les propriétés de l'addition peuvent-elles t'aider?

Carl Friedrich Gauss,
Mathématicien allemand
(1777 - 1855)

Le cerveau ou la calculatrice ?

L'idée d'utiliser des machines à calculer est très ancienne. Le but recherché a toujours été de simplifier les calculs qui sont longs, difficiles ou répétitifs. Mais, dans bien des cas, il est souvent préférable d'utiliser la seule machine à calculer qui nous suit partout et qui est dotée de jugement : le cerveau !

Calculer mentalement est une habileté qui se développe. Voici une activité qui a pour but de te faire découvrir des stratégies de calcul mental efficaces.

a. Observe le tableau **1** ci-dessous.

- Cache d'abord la colonne **1A** ou **1B**.

- Cache ensuite la colonne **2A** ou **2B**.

- Calcule mentalement le résultat de chaque opération, le plus rapidement possible.

En 1642, **Blaise Pascal**, un mathématicien et philosophe français, mit au point l'une des premières machines à calculer, appelée la *pascaline*. Son invention avait pour but de simplifier les interminables calculs administratifs de son père, percepteur des impôts à Rouen, en Normandie.

Tableau 1

	1A	1B	Opération	2A	2B
1)	23	62	+	34	25
2)	99	68	–	13	24
3)	176	154	+	0	0
4)	22	33	+	49	59
5)	61	82	–	29	38
6)	46	25	+	33	42
7)	78	89	–	55	44
8)	0	0	+	121	183
9)	13	34	+	28	38
10)	57	55	–	18	39

b. Explique les stratégies que tu as utilisées, c'est-à-dire la façon dont tu as effectué tes calculs.

c. Observe le tableau **2** ci-dessous.

- Cache d'abord la colonne **1A** ou **1B**.
- Cache ensuite la colonne **2A** ou **2B**.
- Cache enfin la colonne **3A** ou **3B**.
- Calcule mentalement le résultat de chaque opération, le plus rapidement possible.

Tableau 2

	1A	1B	Opération	2A	2B	Opération	3A	3B
11)	35	45	+	17	28	+	15	25
12)	14	16	+	27	17	+	13	23
13)	44	24	+	38	27	+	26	16
14)	17	15	+	26	36	+	14	24
15)	29	49	+	0	0	+	31	61

d. As-tu utilisé de nouvelles stratégies? Si oui, lesquelles?

e. Compare les stratégies de calcul mental que tu as utilisées avec celles proposées dans le *Calepin des savoirs* à la page 15. En as-tu découvert d'autres? Si oui, lesquelles?

f. Associe chacune des opérations des tableaux **1** et **2** à une des stratégies proposées dans le *Calepin des savoirs* à la page 15.

Même s'il ne représente que 2 % de la masse totale du corps, le cerveau consomme 20 % de l'énergie produite. Les hémisphères cérébraux constituent la partie la plus importante du cerveau. Ils sont le siège de la raison et de la créativité.

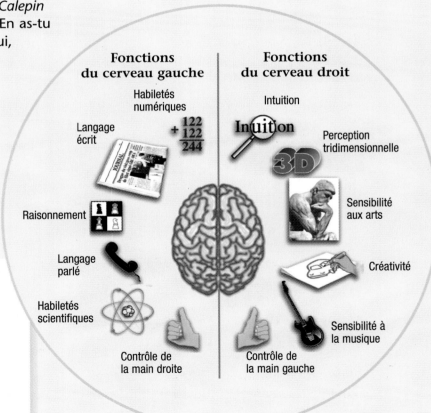

Fonctions du cerveau gauche — Habiletés numériques, Langage écrit, Raisonnement, Langage parlé, Habiletés scientifiques, Contrôle de la main droite

Fonctions du cerveau droit — Intuition, Perception tridimensionnelle, Sensibilité aux arts, Créativité, Sensibilité à la musique, Contrôle de la main gauche

Addition et soustraction

L'**addition** de deux nombres (termes) est une opération qui permet d'obtenir un troisième nombre appelé la **somme**.

La **soustraction** de deux nombres (termes) est une opération qui permet d'obtenir un troisième nombre appelé la **différence**.

Ex. : $\underset{\text{terme}}{54} \; + \; \underset{\text{terme}}{12} \; = \; \underset{\text{somme}}{66}$

Ex. : $\underset{\text{terme}}{66} \; - \; \underset{\text{terme}}{12} \; = \; \underset{\text{différence}}{54}$

L'**addition** est l'**opération inverse** de la **soustraction** et vice-versa.

Ex. : Puisque 54 + 12 = 66, alors 66 – 12 = 54 et 66 – 54 = 12.

Propriétés de l'addition

Commutativité	**Associativité**	**Élément neutre (0)**
Propriété qui permet de modifier l'ordre des nombres sans changer le résultat.	Propriété qui permet de changer l'ordre des opérations sans changer le résultat.	L'élément neutre additionné à un nombre donne ce nombre comme somme.
Ex. : 3 + 6 = 6 + 3 9 = 9	Ex. : (1 + 4) + 2 = 1 + (4 + 2) 5 + 2 = 1 + 6 7 = 7	Ex. : 8 + 0 = 0 + 8 = 8

Stratégies de calcul mental

L'utilisation de certaines propriétés des nombres et des opérations permet souvent de simplifier des calculs qui, à première vue, paraissent difficiles. Voici quelques **stratégies de calcul mental**.

A Additionner ou soustraire **en décomposant un des nombres.**

Ex. : 1) 55 + 37 = 55 + 30 + 7 = 85 + 7 = 92

2) 87 – 53 = 87 – 50 – 3 = 37 – 3 = 34

B Additionner ou soustraire **en complétant et en réajustant.**

Ex. : 1) 63 + 28 = 63 + 30 – 2 = 93 – 2 = 91

2) 87 – 48 = 87 – 50 + 2 = 37 + 2 = 39

C Additionner **en associant les nombres compatibles** (associativité).

Ex. : 17 + 55 + 15 = 17 + (55 + 15) = 17 + 70 = 87

D Additionner **en changeant l'ordre des nombres** (commutativité).

Ex. : 43 + 29 + 17 = 43 + 17 + 29 = 60 + 29 = 89

E Additionner **en éliminant l'élément neutre** (0).

Ex. : 143 618 + 0 = 143 618

> Dans l'addition, on peut qualifier deux nombres de **compatibles** si leur somme se termine par 0. Par exemple, 12 et 18 sont compatibles, car 12 + 18 = 30.

1. On désire calculer mentalement 45 + 27. Parmi les trois expressions proposées, deux sont mathématiquement inexactes. Lesquelles ? Explique ta réponse.

> **A** 45 + 27 = 45 + 20 = 65 + 7 = 72
>
> **B** 45 + 27 = 45 + 30 = 75 − 3 = 72
>
> **C** 45 + 27 = 45 + 20 + 7 = 65 + 7 = 72

2. Calcule mentalement le résultat des expressions suivantes en utilisant les propriétés de l'addition (commutativité, associativité ou élément neutre).

   a) 1500 + 2619 + 500   b) 0 + 14 617 + 0   c) 59 + 106 + 14

   d) 23 + 17 + 8 + 22   e) 99 + 26 + 1   f) 17 − 17 + 86

3. Détermine le nombre manquant dans chaque opération.

   a)   455
       +   49
       ───────
       ▇▇▇▇

   b)   408
       + ▇▇▇▇
       ───────
         859

   c)   ▇▇▇▇
       + 3500
       ───────
         7350

   d)   777
       − 293
       ───────
       ▇▇▇▇

   e)   351
       − ▇▇▇▇
       ───────
         139

   f)   ▇▇▇▇
       − 2583
       ───────
         1634

4. Place aux bons endroits les chiffres disponibles.

   a)
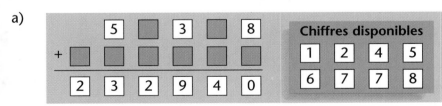

   b)
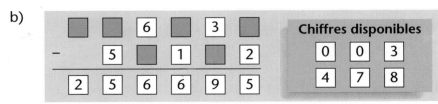

5. Combien de paires de nombres naturels peut-on former dont :

   a) la somme est 23 ?   b) la différence est 100 ?

6. Associe à chacune des additions suivantes le moyen qu'il est préférable d'employer pour l'effectuer.

A	100 + 55 + 3
B	14 178 + 398 + 9740 + 1712 + 678 123
C	1412 + 3129 + 43

1	Calcul mental.
2	Calcul par écrit.
3	Calcul à l'aide d'une calculatrice.

7. Voici des informations relatives au nombre de repas vendus un mardi à la cafétéria d'une école.

a) Combien d'élèves de l'école n'ont pas acheté de repas à la cafétéria ce jour-là ?

b) Le lendemain, on a préparé 25 repas de plus que le nombre de repas vendus la veille. Combien de repas le personnel de la cafétéria a-t-il alors préparés ?

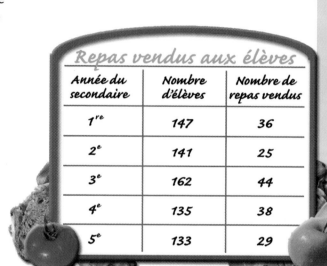

Repas vendus aux élèves

Année du secondaire	Nombre d'élèves	Nombre de repas vendus
1ʳᵉ	147	36
2ᵉ	141	25
3ᵉ	162	44
4ᵉ	135	38
5ᵉ	133	29

Selon le *Guide alimentaire canadien*, il est important de consommer trois repas par jour. Les repas doivent être composés d'aliments variés choisis parmi les quatre groupes alimentaires : viandes et substituts, légumes et fruits, produits céréaliers et produits laitiers.

8. Dans ces expressions, la lettre n remplace un nombre. Quel est ce nombre ?

a) $150 + 275 = n$

b) $1600 - 555 = n$

c) $78 + n = 400$

d) $700 - n = 621$

e) $n + 222 = 333$

f) $n - 1411 = 1411$

9. S'il existe des stratégies pour faciliter le calcul mental, il en existe aussi pour te permettre de mieux utiliser ta calculatrice.

a) Sur ta calculatrice, combien de chiffres composent le nombre le plus long que tu peux afficher ?

b) À l'aide de la calculatrice, explique comment on peut s'y prendre pour calculer :

1) $425\ 185\ 000\ 000 + 817\ 992\ 000\ 000$;

2) $14\ 976\ 010\ 000 - 12\ 823\ 634\ 000$.

10. MONTAGNES RUSSES Le conseil étudiant organise une sortie à La Ronde. La direction exige qu'au moins 200 élèves s'inscrivent pour que ce projet se réalise.

Une sortie à La Ronde	
Classe	Nombre d'inscriptions
101	22
102	13
103	25
104	14
105	23
106	21
107	29
108	20
109	11
110	

a) Selon les données du tableau ci-contre, combien d'élèves de la classe 110 doivent s'inscrire pour que la direction accepte ce projet?

b) Le quai d'embarquement du Monstre, à La Ronde, est situé à 6 m au-dessus du sol. Le train quitte la zone d'embarquement et s'engage dans un virage avant de monter de 40 m. Soudain, il descend de 15 m, remonte de 11 m et effectue ensuite une plongée vertigineuse de 38 m. À cet endroit du parcours, à quelle hauteur le train est-il par rapport au sol?

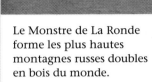

Le Monstre de La Ronde forme les plus hautes montagnes russes doubles en bois du monde.

11. ENVIRONNEMENT En inspirant, l'humain s'alimente en oxygène. En expirant, il rejette du gaz carbonique. Les écologistes estiment qu'il faut un arbre pour produire l'oxygène nécessaire à une personne. Ce même arbre est capable d'emmagasiner tout le gaz carbonique produit par cette personne.

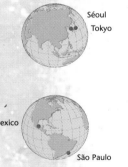

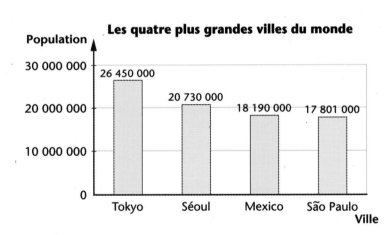

Les quatre plus grandes villes du monde

Population

- Tokyo : 26 450 000
- Séoul : 20 730 000
- Mexico : 18 190 000
- São Paulo : 17 801 000

a) Selon le diagramme à bandes ci-dessus, combien d'arbres faut-il pour fournir l'oxygène nécessaire à la population des quatre plus grandes villes du monde?

b) Quel est l'écart de population entre les deux plus grandes villes du monde?

12. La somme de quatre nombres naturels consécutifs est 214. Quels sont ces nombres?

13. BIOLOGIE En 1839, Theodor Schwann avança la théorie selon laquelle tous les êtres vivants sont constitués d'un ensemble de petites cellules. Chez l'humain, on évalue le nombre de cellules à 100 000 000 000 000, dont 100 000 000 000 servent à former le cerveau. Combien de cellules sont nécessaires au fonctionnement du reste du corps humain ?

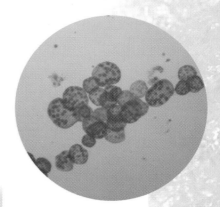

Certains êtres vivants microscopiques sont unicellulaires, c'est-à-dire constitués d'une seule cellule. C'est le cas de plusieurs bactéries, algues et champignons.

14. Paire, impaire ou imprévisible ?

a) La somme de deux nombres pairs est ▮▮▮▮▮.

b) La somme de deux nombres impairs est ▮▮▮▮▮.

c) La somme de deux nombres naturels consécutifs est ▮▮▮▮▮.

d) La somme de trois nombres naturels consécutifs est ▮▮▮▮▮.

15. ALTITUDE L'illustration ci-dessous indique l'altitude de quelques sommets que l'on trouve dans le monde.

a) Quel est l'écart d'altitude entre :

1) le sommet le plus élevé du Canada et celui du Québec ?

2) le toit du monde et le sommet des Amériques ?

b) La mésosphère est une couche de l'atmosphère qui se trouve à environ 40 km d'altitude. Combien de mètres dois-tu ajouter à la somme des sept altitudes de ces sommets pour atteindre l'altitude de la mésosphère ?

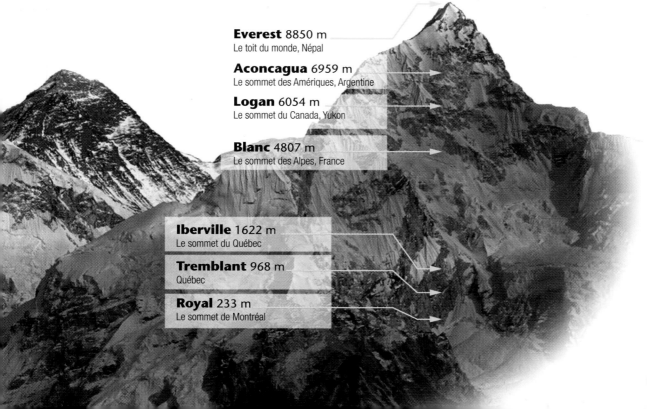

Everest 8850 m
Le toit du monde, Népal

Aconcagua 6959 m
Le sommet des Amériques, Argentine

Logan 6054 m
Le sommet du Canada, Yukon

Blanc 4807 m
Le sommet des Alpes, France

Iberville 1622 m
Le sommet du Québec

Tremblant 968 m
Québec

Royal 233 m
Le sommet de Montréal

16. CARRÉ MAGIQUE Un carré est magique si la somme de chaque ligne, de chaque colonne et de chaque diagonale est toujours la même. Détermine les nombres manquants pour que ce carré soit magique.

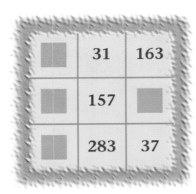

En 1994, Louis Caya, de Sainte-Foy, a réalisé l'un des plus grands carrés magiques jamais construits : il avait 3001 lignes et 3001 colonnes.

17. ÉTOILE MAGIQUE Cette étoile est magique lorsque la somme de chacune de ses quatre branches est identique. Avec les nombres de 1 à 9, il est possible de former trois étoiles magiques, chacune ayant un nombre différent au centre. Quelles sont ces étoiles?

ZOOM

1 Est-ce que la soustraction :

a) est commutative?   b) est associative?   c) a un élément neutre?

2 Dans une soustraction, on peut additionner ou soustraire la même quantité aux deux termes sans modifier la différence. Donne deux exemples illustrant cette affirmation.

3 Complète cette phrase : La somme de trois nombres naturels consécutifs est toujours un multiple de ▆▆▆.

4 a) Sur la calculatrice, si la touche ▆+▆ permet d'effectuer une addition et si la touche ▆−▆ permet d'effectuer une soustraction, alors à quoi sert la touche ▆+/−▆ ou la touche ▆(−)▆ ?

b) Sur le clavier d'un ordinateur, combien de touches permettent d'écrire le symbole de l'addition? Et celui de la soustraction?

PROJET

Cette unité t'aidera à réaliser les parties 1 et 2 de ton projet.

SITUATION-PROBLÈME

Le passe-temps de l'éléphant : manger !

Les éléphants sont parmi les plus gros animaux de la planète.

L'éléphant d'Afrique peut mesurer 4 m de haut et 7 m de long, et peser 7000 kg. Pour maintenir une telle stature, cet animal consacre 15 h par jour à se nourrir. Ainsi, on évalue qu'un éléphant mange 89 790 kg de nourriture et boit 60 955 L d'eau chaque année.

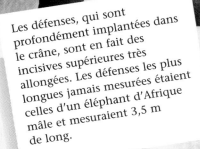

Les défenses, qui sont profondément implantées dans le crâne, sont en fait des incisives supérieures très allongées. Les défenses les plus longues jamais mesurées étaient celles d'un éléphant d'Afrique mâle et mesuraient 3,5 m de long.

Manges-tu plus qu'un éléphant ?

PISTES D'EXPLORATION...

- Un tableau peut-il t'aider à présenter tes résultats comparatifs ?
- As-tu comparé ta masse à celle d'un éléphant ?
- Combien de temps par jour consacres-tu à t'alimenter ?
- As-tu estimé la quantité de nourriture et de liquide que tu consommes quotidiennement ?

Une question de disposition

Pour ranger des objets et pouvoir les compter facilement, on utilise souvent des dispositions rectangulaires.

a. Explique en quoi ces arrangements de jetons sont à la fois semblables et différents.

1   **2**   **3**

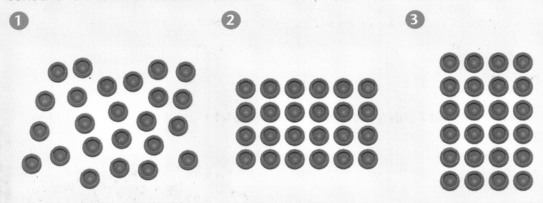

b. Combien de jetons sont nécessaires pour illustrer une disposition de :

1) 5 rangées de 6 jetons ou 6 rangées de 5 jetons ?

2) 14 rangées de 1 jeton ou 1 rangée de 14 jetons ?

c. Émilie affirme que $4 \times (6 + 5) = 4 \times 6 + 4 \times 5$. Pour justifier son affirmation, elle a disposé des jetons comme suit :

1) A-t-elle raison ? Explique ta réponse.

2) Représente $3 \times (5 + 1)$ à l'aide de jetons.

3) Propose une stratégie pour calculer mentalement :

    i) 15×11 ii) $4 \times 47 + 4 \times 53$

d. Alex prétend que l'illustration ci-dessous représente
$3 \times (7 - 5) = 3 \times 7 - 3 \times 5$.

1) A-t-il raison ? Explique ta réponse.

2) Représente $6 \times (5 - 2)$ à l'aide de jetons.

3) Propose une stratégie pour calculer mentalement :

   i) 35×9 ii) $4 \times 223 - 4 \times 23$

e. L'illustration à droite ci-dessous montre des canettes disposées
sur 3 étages.

1) À l'aide de cette illustration, explique pourquoi $(4 \times 6) \times 3 = 4 \times (6 \times 3)$.

2) Représente $7 \times 2 \times 5$ à l'aide de jetons et compare ta disposition avec celle
d'autres élèves.

3) Propose une stratégie pour calculer mentalement $43 \times 50 \times 2$.

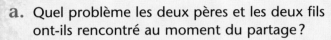 **ACTIVITÉ 2 Un partage**

En se promenant dans les bois, deux pères et deux fils découvrent un petit coffre datant du Moyen Âge. Ils l'ouvrent et y trouvent 21 pièces d'or. Ils décident de se répartir également toutes les pièces sans les briser.

a. Quel problème les deux pères et les deux fils ont-ils rencontré au moment du partage?

b. L'histoire dit qu'ils se sont partagé également les 21 pièces d'or et qu'ils sont retournés à la maison avec chacun 7 pièces en poche. Comment est-ce possible?

Dans le cas des pièces d'or, le quotient est un nombre entier. Lorsque le quotient n'est pas un nombre entier, il faut tenir compte de la situation afin de l'exprimer sous la forme la plus appropriée.

c. Complète ces calculs et explique pourquoi ils sont équivalents.

1)
$$\begin{array}{c|c} 106 & 8 \\ \hline \blacksquare & 13\frac{\blacksquare}{\blacksquare} \end{array}$$

2)
$$\begin{array}{c|c} 106 & 8 \\ \hline \blacksquare & 13,\blacksquare \end{array}$$

d. On a utilisé les mêmes nombres et la même opération dans la résolution de chacune des situations suivantes. Exprime de façon adéquate la réponse à la question posée dans chaque situation.

1 Cent quatre-vingt-six élèves se rendent au zoo. Au cours de la visite, les personnes qui agissent comme guides ne peuvent accompagner plus de 12 élèves chacune. Combien de guides doit-on prévoir?

2 On doit répartir également 186 sandwichs sur 12 plateaux. Combien de sandwichs mettra-t-on sur chaque plateau?

4 On désire payer un lecteur DVD, qui coûte 186 $, en 12 versements égaux. Quel est le montant de chaque versement?

3 Une entreprise fabrique des balles de golf qu'elle vend à la douzaine dans des emballages de carton. À la fin de la journée, combien de balles ne seront pas emballées si on en a fabriqué 186?

5 Combien de rangées complètes de 12 briques peut-on faire avec 186 briques?

Multiplication et division

La **multiplication** de deux nombres (facteurs) est une opération qui permet d'obtenir un troisième nombre appelé le **produit**.

Ex. :   9   ×   15   =   135

facteur   facteur   produit

La **division** d'un nombre (dividende) par un autre nombre (diviseur) est une opération qui permet d'obtenir un troisième nombre appelé le **quotient**.

Ex. :   135   ÷   15   =   9

dividende   diviseur   quotient

Au lieu du symbole ÷, on utilise parfois le trait horizontal pour représenter une division.

Ex. : $\frac{135}{15} = 9$

La **multiplication** est l'**opération inverse** de la **division** et vice-versa.

Ex. : Puisque $9 \times 15 = 135$, alors $135 \div 9 = 15$ et $135 \div 15 = 9$.

Propriétés de la multiplication et calcul mental

On utilise souvent les **propriétés de la multiplication** pour faciliter certains calculs. On peut donc s'inspirer de ces propriétés pour développer des **stratégies de calcul mental**. Voici quelques exemples :

En multiplication, on peut dire que deux nombres sont **compatibles** si leur produit se termine par 0. Par exemple, 4 et 25 sont compatibles, car $4 \times 25 = 100$.

Propriétés	Stratégies de calcul mental
Associativité $(3 \times 4) \times 2 = 3 \times (4 \times 2)$ $12 \times 2 = 3 \times 8$ $24 = 24$	**Associer les nombres compatibles** $32 \times 25 \times 4 = 32 \times (25 \times 4) = 32 \times 100 = 3200$
Commutativité $3 \times 6 = 6 \times 3$ $18 = 18$	**Changer l'ordre des nombres** $25 \times 14 \times 4 = 25 \times 4 \times 14 = 100 \times 14 = 1400$
Élément neutre (1) $8 \times 1 = 1 \times 8 = 8$	**Éliminer l'élément neutre** $143\,618 \times 1 = 143\,618$
Élément absorbant (0) $7 \times 0 = 0 \times 7 = 0$	**Reconnaître l'élément absorbant** $76 \times 12 \times 324 \times 0 \times 6 = 0$
Distributivité de la multiplication sur l'addition $4 \times (6 + 3) = 4 \times 6 + 4 \times 3$ $4 \times 9 = 24 + 12$ $36 = 36$	**Multiplier en décomposant un des nombres** $15 \times 12 = 15 \times (10 + 2) = 15 \times 10 + 15 \times 2 = 150 + 30 = 180$ **Mise en évidence** $5 \times 36 + 5 \times 44 = 5 \times (36 + 44) = 5 \times 80 = 400$
Distributivité de la multiplication sur la soustraction $2 \times (8 - 5) = 2 \times 8 - 2 \times 5$ $2 \times 3 = 16 - 10$ $6 = 6$	**Multiplier en complétant et en réajustant** $6 \times 98 = 6 \times (100 - 2) = 6 \times 100 - 6 \times 2 = 600 - 12 = 588$ **Mise en évidence** $4 \times 77 - 4 \times 67 = 4 \times (77 - 67) = 4 \times 10 = 40$

Calepin des **savoirs**

Différentes formes de quotient

Lorsqu'une division permet de résoudre un problème, il faut tenir compte de la situation pour exprimer le résultat sous la forme la plus appropriée.
Ce résultat peut être :

• un **nombre entier**

— soit parce qu'il n'y a pas de reste à la division ;

Ex. : $32 \div 4 = 8$

— soit parce que l'on s'intéresse au reste de la division ;

Ex. : Le reste de $33 \div 4$ est 1.

— soit parce que le contexte exige une réponse entière.

• un **nombre entier suivi**

d'une fraction ;

Ex. : $33 \div 4 = 8\frac{1}{4}$

On dit alors que $8\frac{1}{4}$ est un nombre fractionnaire.

d'une partie décimale.

Ex. : $33 \div 4 = 8,25$

On utilise la virgule pour séparer la partie entière (8) de la partie décimale (25). On dit que le nombre 8,25 est écrit en notation décimale.

$\begin{array}{r} 3\,3 \\ -\,3\,2 \\ \hline 1 \end{array}\ \Big\lvert\begin{array}{l} 4 \\ \hline 8 \end{array}$	$\begin{array}{r} 3\,3 \\ -\,3\,2 \\ \hline 1\,0 \end{array}\ \Big\lvert\begin{array}{l} 4 \\ \hline 8, \end{array}$	$\begin{array}{r} 3\,3 \\ -\,3\,2 \\ \hline 1\,0 \\ -\ \ 8 \\ \hline 2\,0 \\ -\,2\,0 \\ \hline 0 \end{array}\ \Big\lvert\begin{array}{l} 4 \\ \hline 8,2\,5 \end{array}$
Si le reste n'est pas nul, on peut écrire le quotient sous la forme d'un nombre fractionnaire ($8\frac{1}{4}$).	Pour obtenir un nombre en notation décimale, on poursuit la division. On insère une virgule dans le quotient et on ajoute un zéro à la droite du reste. On continue ensuite la division.	La division est terminée quand le reste est nul ou quand le niveau de précision désiré est atteint.

Pour indiquer qu'une division n'est pas terminée, on place des points de suspension à la fin du quotient ou on utilise le symbole « $\approx$ » qui signifie « est à peu près égal ».

Ex. : $50 \div 7 = 7,14...$ ou $50 \div 7 \approx 7,14$.

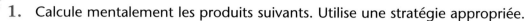

1. Calcule mentalement les produits suivants. Utilise une stratégie appropriée.

    a) $50 \times 21 \times 2$
    b) $4 \times 12 \times 25$
    c) $3 \times 250 \times 4$
    d) $44 \times 5 \times 200$

2. Puisque $8 \times 25 = 200$, alors que valent les expressions suivantes ?

    a) 16×25
    b) 32×25
    c) 16×50
    d) 32×75

3. Parmi les suggestions suivantes, laquelle utiliserais-tu :

    a) pour calculer mentalement 8×12 ?

> **1** $8 \times 12 = 8 \times (4 + 8) = 8 \times 4 + 8 \times 8$
>
> **2** $8 \times 12 = 8 \times (10 + 2) = 8 \times 10 + 8 \times 2$

    b) pour calculer mentalement 35×9 ?

> **1** $35 \times 9 = 35 \times (11 - 2) = 35 \times 11 - 35 \times 2$
>
> **2** $35 \times 9 = 35 \times (10 - 1) = 35 \times 10 - 35 \times 1$

4. Donne le résultat de ces expressions. Que remarques-tu au sujet des zéros dans les résultats ?

    a) 20×10
                b) $200 \times 10 \times 20$

    c) $500 \times 11\ 000$
       d) $500 \div 10$

    e) $6000 \div 200$
          f) $80\ 000 \div 4000$

5. Sans effectuer le calcul, insère la virgule au bon endroit dans le quotient.

    a) $85 \div 13 = 65384\ldots$

    b) $9 \div 8 = 1125$

    c) $7 \div 11 \approx 063636$

    d) $1780 \div 21 \approx 847619$

Simon Stevin
(1548-1620) est à l'origine de l'utilisation de la notation décimale en Europe. Pour représenter 32,57, il notait 32⓪5①7②. Plus tard, la notation s'allégea pour devenir 32 o 57, puis 32,57.

6. Effectue les opérations suivantes.

   a) 32×27 b) 86×79 c) $776 \div 8$ d) $2835 \div 45$

7. a) Donne la partie entière du quotient.

   1) $36 \div 7$ 2) $70 \div 9$ 3) $175 \div 20$

   b) Donne le reste de la division.

   1) $26 \div 5$ 2) $75 \div 8$ 3) $311 \div 20$

8. a) Effectue les divisions suivantes avec une précision de deux chiffres après la virgule.

   1) $852 \div 16$ 2) $14\ 563 \div 14$ 3) $146 \div 6$

   4) $13 \div 24$ 5) $81 \div 94$ 6) $3 \div 46$

   b) Que peux-tu affirmer quant à la grandeur d'un quotient lorsque le diviseur est plus grand que le dividende et que ces nombres sont positifs?

9. Sans effectuer le calcul, utilise le symbole approprié : <, > ou =.

   a) 12×45 ■ 13×45 b) $455 \div 36$ ■ $455 \div 37$

   c) $5200 \div 325$ ■ $5100 \div 325$ d) $2688 \div 42$ ■ $1344 \div 21$

10. a) Combien de multiplications de deux nombres naturels peuvent avoir 32 pour résultat?

    b) Combien de divisions de deux nombres naturels peuvent avoir 32 pour résultat?

11. a) À l'aide de nombres naturels, écris une division dans laquelle le dividende est 10 fois plus grand que le diviseur.

    b) Dans quels cas le quotient et le dividende d'une division sont-ils égaux?

12. ENVIRONNEMENT
    Une plantation d'arbres d'une superficie de 10 000 m² produit en une journée suffisamment d'oxygène pour répondre aux besoins de 500 personnes. Quelle est la superficie nécessaire pour oxygéner 720 personnes durant une journée?

13. À l'aide d'une calculatrice, détermine le symbole (= ou ≈) qui doit être utilisé dans les expressions suivantes.

    a) 8555 ÷ 555 ▦ 15,41

    b) 18 700 ÷ 880 ▦ 21,25

    c) 8744 ÷ 148 ▦ 59,08

    d) 424 ÷ 1696 ▦ 0,25

14. Dans ces expressions, la lettre *n* remplace un nombre. Quel est ce nombre?

    a) $44 \times 13 = n$

    b) $915 \div 61 = n$

    c) $46 \times n = 368$

    d) $1368 \div n = 57$

    e) $n \times 9 = 819$

    f) $n \div 20 = 80$

15. VER À SOIE Le bombyx est une sorte de ver qui produit de la soie que l'on peut récolter pour fabriquer des vêtements.

    a) S'il faut 4 bombyx pour produire un gramme de fil de soie par jour, combien de jours sont nécessaires à 8 bombyx pour en produire 520 g?

    b) Le bombyx peut sécréter sans arrêt un fil de soie d'une longueur de 151 200 cm à un rythme de 15 cm par minute. À combien de jours de travail cela correspond-il?

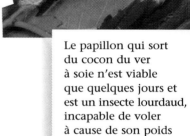

Le papillon qui sort du cocon du ver à soie n'est viable que quelques jours et est un insecte lourdaud, incapable de voler à cause de son poids et de la petite taille de ses ailes.

16. Un humain marche environ 130 000 km au cours de sa vie. Si la circonférence de la Terre est d'environ 40 000 km, combien de fois ferait-il le tour de la Terre?

17. Voici quatre divisions dans lesquelles le diviseur a une unité de moins que le dividende. Classe dans l'ordre croissant les quotients obtenus.

    A 21 ÷ 20   **B** 15 ÷ 14   **C** 2 ÷ 1   **D** 40 ÷ 39

18. À un gala d'excellence, la directrice d'une école remet aux élèves des bourses, chacune ayant une valeur de 125 $. Le montant total des bourses s'élève à 5875 $. Parmi les élèves qui assistent à ce gala, 1 sur 3 reçoit une bourse. Les 52 membres du personnel de l'école sont aussi présents. Au total, combien de personnes participent à cette soirée si 2 adultes accompagnent chaque élève?

19. Puisque $8 \times 156 + 3 = 1251$, quels sont le quotient et le reste de l'opération $1251 \div 8$?

20. Associe chacune des expressions de la colonne de gauche à l'expression appropriée de la colonne de droite.

A $24 \times 15 + 24 \times 20$		**1** $15 \times (24 + 20)$		
B $15 \times 24 + 20 \times 15$		**2** $20 \times (15 + 24)$		
C $15 \times 20 + 24 \times 20$		**3** $24 \times (15 + 20)$		

21. ENVIRONNEMENT Dans une plantation de conifères, 63 rangées d'épinettes comprenant chacune 17 arbres ont été plantées. Malheureusement, la tordeuse des bourgeons de l'épinette s'est attaquée à 13 rangées complètes. Écris deux expressions différentes permettant de calculer le nombre d'épinettes toujours en santé.

La tordeuse des bourgeons de l'épinette est l'insecte le plus destructeur des peuplements de conifères de l'Amérique du Nord. Au Canada, elle s'attaque à 25 essences de conifères.

22. Pair ou impair ?

a) Le produit de deux nombres pairs est ▬▬▬.

b) Le produit de deux nombres impairs est ▬▬▬.

c) Le produit de deux nombres naturels consécutifs est ▬▬▬.

d) Le produit de trois nombres naturels consécutifs est ▬▬▬.

23. TRANSPORT En 2004, à Shanghai, on a inauguré un train à sustentation magnétique nommé le *Transrapid.* Ce train, qui « flotte » à un centimètre au-dessus de la voie, se déplace à une vitesse moyenne de 430 km/h. En comparaison, le TGV conventionnel roule à une vitesse moyenne de 300 km/h. Combien de temps un usager gagnera-t-il s'il parcourt 12 900 km dans une année en utilisant le *Transrapid* plutôt que le TGV conventionnel ?

Le *Transrapid,* de fabrication allemande, relie le centre-ville de Shanghai à l'aéroport. Il peut atteindre en 4 min une vitesse de 430 km/h.

24. TENNIS DE TABLE En 1936, à Prague, lors d'un championnat de tennis de table, le Polonais Ehrlich et le Roumain Paneth établirent le record de durée pour un point en s'échangeant la balle pendant 2 h 5 min. Cela représente combien d'allers-retours si la balle fait en moyenne 5 allers-retours en 4 s ?

25. INSECTES Sachant que la masse de tous les insectes de la terre représente environ 12 fois celle de l'humanité, détermine la masse de tous les insectes.

On dénombre au Canada 18 530 espèces d'insectes connues.

26. Pour aller de la case de départ à la case d'arrivée, tu dois respecter les consignes suivantes.

- Ne pas se déplacer en diagonale.
- Ne pas repasser deux fois sur la même case.
- Le produit des nombres rencontrés doit être 6720.

Quel trajet dois-tu suivre ?

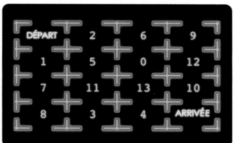

ZOOM

1 a) L'addition et la multiplication sont des opérations commutatives et associatives. Ces propriétés s'appliquent-elles à la division ?

b) Puisque $3 + 0 = 0 + 3 = 3$, l'élément neutre de l'addition est 0. Puisque $5 \times 1 = 1 \times 5 = 5$, l'élément neutre de la multiplication est 1. Qu'en est-il de la division ?

c) La division a-t-elle un élément absorbant ? Si oui, lequel ?

2 a) Quel résultat affiche la calculatrice si tu effectues l'opération $24 \div 0$?

b) Donne un autre exemple de division qui donne le même résultat.

24/0

3 Dans une division, on ne modifie pas le quotient si l'on divise le diviseur et le dividende par le même nombre.

a) Donne deux exemples pour illustrer cette affirmation.

b) Est-ce que le quotient demeure le même si l'on multiplie le diviseur et le dividende par le même nombre ?

4 Quelle est la valeur maximale possible du reste si l'on divise un nombre :

a) par 3 ?   b) par 11 ?   c) par 27 ?

 SITUATION-PROBLÈME Un incendie de forêt

Voici une photographie, sur laquelle on a superposé un quadrillage, qui montre une vue aérienne d'une forêt; chaque point représente un arbre. Cette forêt, dont une partie a été récemment ravagée par un incendie, couvre un hectare.

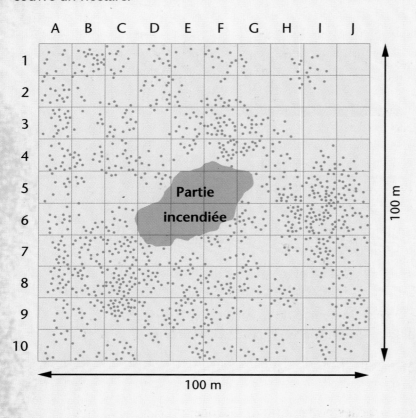

Partie incendiée

100 m

100 m

Les ingénieurs et les ingénieures forestiers doivent planifier les coupes et gérer l'utilisation de la forêt. Les méthodes doivent respecter à la fois la capacité de production en bois de la forêt et l'ensemble des autres ressources du milieu, comme la faune, la flore et le paysage. Le Québec compte plus de 2100 ingénieurs forestiers, dont environ 10 % sont des femmes.

Combien y avait-il d'arbres dans cette forêt avant l'incendie ?

PISTES D'EXPLORATION...

- Est-il possible de connaître le nombre exact d'arbres qu'il y avait dans cette forêt avant l'incendie ?
- En quoi le quadrillage peut-il t'aider ?
- As-tu comparé ton estimation du nombre d'arbres dans la forêt à celle d'autres élèves ?

La précision selon la situation

Au cours de discussions ou dans les médias, on utilise souvent des nombres pour décrire une situation. Voici quelques exemples.

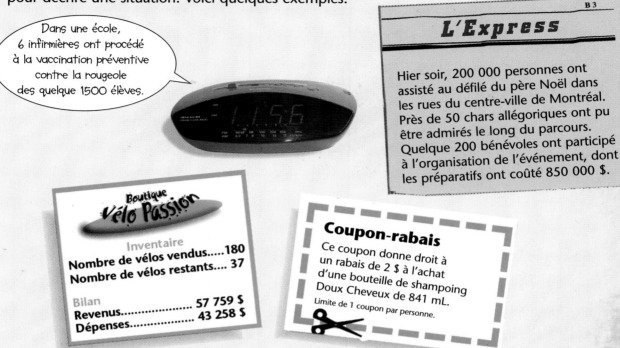

Dans une école, 6 infirmières ont procédé à la vaccination préventive contre la rougeole des quelque 1500 élèves.

L'Express

B 3

Hier soir, 200 000 personnes ont assisté au défilé du père Noël dans les rues du centre-ville de Montréal. Près de 50 chars allégoriques ont pu être admirés le long du parcours. Quelque 200 bénévoles ont participé à l'organisation de l'événement, dont les préparatifs ont coûté 850 000 $.

Boutique Vélo Passion

Inventaire
Nombre de vélos vendus......180
Nombre de vélos restants.... 37

Bilan
Revenus....................... 57 759 $
Dépenses..................... 43 258 $

Coupon-rabais
Ce coupon donne droit à un rabais de 2 $ à l'achat d'une bouteille de shampoing Doux Cheveux de 841 mL.
Limite de 1 coupon par personne.

a. Dans ces exemples, certaines valeurs sont exactes, d'autres sont approximatives. Détermine celles qui sont approximatives.

b. Est-il important de connaître le nombre exact d'élèves qui ont été vaccinés :

   1) dans le cadre d'un reportage radiophonique ? Explique ta réponse.

   2) pour la direction de l'école ? Explique ta réponse.

c. Il existe plusieurs stratégies pour arrondir un nombre. Explique comment cette droite numérique peut t'aider à arrondir 631, 635 et 636 à la dizaine près.

630   640

d. À quelle position a-t-on arrondi les nombres dans l'article du journal *L'Express* si, en réalité :

   1) 45 chars allégoriques ont défilé ?

   2) 238 bénévoles ont participé à l'organisation ?

   3) l'événement a coûté 846 050 $?

e. Reporte-toi aux nombres du rapport financier de la Boutique Vélo Passion et arrondis :

   1) le nombre de vélos vendus à la centaine près.

   2) le nombre de vélos restants à la dizaine près.

   3) les revenus à l'unité de mille près.

f. Dans le reportage radiophonique, le nombre exact d'élèves a été arrondi à la centaine près. Combien d'élèves peuvent fréquenter cette école ?

ACTIVITÉ 2 — Opération recyclage

Au Québec, une personne produit généralement un peu plus de 1 kg de déchets par jour. Environ la moitié de ces déchets pourrait potentiellement être recyclée. Le tableau ci-contre indique la quantité de matières recyclées par une municipalité au cours d'une année.

Recyclage dans une municipalité

Matière	Quantité (tonnes)
Papier	949
Verre	612
Métaux	585
Plastiques	511
Textiles	426
Pneus	165
Peinture	78
Batteries	37

a. La quantité totale de matières recyclées par cette municipalité est-elle plus près de 2000, 3000, 4000 ou 5000 tonnes ?

Avant d'effectuer un calcul par écrit ou avec une calculatrice, il est préférable d'estimer l'ordre de grandeur de la quantité attendue pour être en mesure de juger de la qualité du résultat obtenu.

> Savais-tu qu'il faut 200 ans pour qu'une bouteille en plastique se décompose dans l'environnement ?

b. Voici quelques exemples d'estimation fournis par des élèves. Dans chacun des cas, explique la méthode utilisée.

1) Estime, en tonnes, la quantité totale de verre, de métaux, de plastiques et de textiles recyclés.

Élève 1 : $612 + 585 + 511 + 426 \approx 600 + 600 + 500 + 400 = 2100$

Élève 2 : $612 + 585 + 511 + 426 \approx 4 \times 500 = 2000$

2) Estime, en tonnes, la quantité totale de textiles, de pneus, de peinture et de batteries recyclés.

Élève 1 : $426 + 165 + 78 + 37 \approx 400 + 200 + 100 + 0 = 700$

Élève 2 : $426 + 165 + 78 + 37 = (426 + 78) + (165 + 37) \approx 500 + 200 = 700$

3) Une fois nettoyé, le verre est vendu à une entreprise de boissons gazeuses au coût de 85 $ la tonne. Estime, en dollars, le revenu de la municipalité.

Élève 1 : $612 \times 85 \approx 600 \times 90 = 54\ 000$

Élève 2 : $612 \times 85 \approx 600 \times 100 = 60\ 000$

4) La municipalité récupère plus de pneus que de batteries. Estime combien de fois plus.

Élève 1 : $165 \div 37 \approx 200 \div 40 = 20 \div 4 = 5$

Élève 2 : $165 \div 37 \approx 160 \div 40 = 16 \div 4 = 4$

Estimation

Estimer une quantité, c'est donner une approximation de cette quantité lorsque la connaissance de la **valeur exacte** n'est **pas nécessaire** ou que cette valeur est **impossible à trouver.**

> Ex. : 1) Estimer la vitesse d'une voiture qui passe devant soi.
>
> 2) Estimer le nombre de grains de sable sur une plage.

Arrondissement

Arrondir un nombre, c'est donner une approximation de ce nombre alors que sa **valeur exacte est connue.** Pour arrondir un nombre à une position donnée :

- on remplace par des **zéros** tous les chiffres à la droite de la position donnée, si le chiffre placé immédiatement à la droite de la position donnée est 4, 3, 2, 1 ou 0;

> Ex. : 5428 arrondi à la centaine près est 5400.

- on **additionne 1** au chiffre de la position donnée et on remplace par des **zéros** tous les chiffres à la droite de cette position, si le chiffre placé immédiatement à la droite de la position donnée est 5, 6, 7, 8 ou 9.

> Ex. : 5428 arrondi à la dizaine près est 5430.

Stratégies de calcul mental

Une technique d'estimation est efficace lorsqu'elle est facile à utiliser et fournit une assez bonne précision. Voici quelques suggestions de **stratégies d'estimation.**

A Estimer une somme ou une différence en **arrondissant** les nombres au même ordre de grandeur.

> Ex. : 1) $487 + 118 + 1214 \approx 500 + 100 + 1200 = 1800$
>
> 2) $17\ 432 - 4791 \approx 17\ 000 - 5000 = 12\ 000$

B Estimer une somme à l'aide d'un nombre **représentatif** de l'ensemble des nombres lorsque ces nombres sont tous du même ordre de grandeur.

> Ex. : $84 + 78 + 76 + 85 + 83 \approx 5 \times 80 = 400$

C Estimer une somme en associant les nombres **compatibles.**

> Ex. : $53 + 187 + 255 + 11 = (53 + 255) + (187 + 11) \approx 300 + 200 = 500$

D **Arrondir** les facteurs à leur plus grande position.

> Ex. : $36 \times 82 \approx 40 \times 80 = 3200$

E **Arrondir** le dividende et le diviseur à la plus grande position du diviseur.

> Ex. : $158 \div 43 \approx 160 \div 40 = 16 \div 4 = 4$

F Remplacer le dividende et le diviseur par des nombres **compatibles.**

> Ex. : $491 \div 28 \approx 500 \div 25 = 20$

En estimation, on peut qualifier deux nombres de **compatibles** si leur somme, leur différence, leur produit ou leur quotient s'estime facilement.

1. Estime ces sommes et ces différences. Utilise une stratégie appropriée.

   a) 57 + 278

   b) 1225 + 4721

   c) 197 – 49

   d) 652 – 67

   e) 56 + 88 + 33

   f) 2155 + 4865 + 5050

2. Suggère quatre nombres différents ne se terminant pas par 0 et menant à l'estimation présentée.

Estimation 1 : ▭ + ▭ + ▭ + ▭	≈ 4 × 60 = 240
Estimation 2 : ▭ + ▭ + ▭ + ▭	≈ 40 + 30 + 30 + 80 = 180
Estimation 3 : ▭ × ▭ × ▭ × ▭	≈ 20 × 40 × 10 × 1 = 8000

3. Estime ces sommes en choisissant un nombre représentatif de l'ensemble des nombres.

   a) 73 + 65 + 77 + 72 + 66

   b) 126 + 129 + 115 + 117

   c) 912 + 888 + 895 + 905

   d) 7217 + 6785 + 6975

4. Suggère un dividende qui permet d'estimer facilement le résultat de la division et donne le quotient.

   a) 89 ÷ 13 ≈ ▭ ÷ 10

   b) 151 ÷ 41 ≈ ▭ ÷ 40

   c) 3617 ÷ 521 ≈ ▭ ÷ 500

5. Estime ces produits et ces quotients.

   a) 9 × 19

   b) 23 × 38

   c) 49 × 23

   d) 73 × 111

   e) 83 ÷ 24

   f) 125 ÷ 23

   g) 890 ÷ 32

   h) 1631 ÷ 417

6. Arrondis les nombres suivants :

   a) à la centaine près;

   1) 65

   2) 847

   3) 12 611

   b) à la dizaine de mille près;

   1) 888

   2) 14 871

   3) 49 601

   c) à la centaine de millions près.

   1) 54 247 999

   2) 212 975 310

   3) 368 645 556

7. Estime chacune des quantités illustrées ci-dessous.

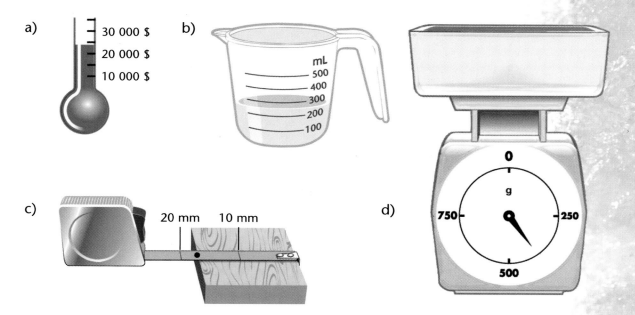

a) 30 000 $
    20 000 $
    10 000 $

b) mL
    500
    400
    300
    200
    100

c) 20 mm   10 mm

d) 0
    g
    750   250
    500

8. Vrai ou faux ? Pourquoi ?

   a) 24 arrondi à la dizaine près = 15 arrondi à la dizaine près.

   b) 149 arrondi à la dizaine près < 149 arrondi à la centaine près.

   c) 12 arrondi à la dizaine près > 400 arrondi à l'unité de mille près.

9. Arrondis à la centaine près chacun de ces nombres.

   a) Il y a 1837 élèves dans cette école secondaire.

   b) Un sac de pâtes contient 2643 macaronis.

   c) La distance entre Victoria (Colombie-Britannique) et Saint-Jean (Terre-Neuve), deux des villes les plus éloignées du Canada, est de 7775 km.

10. Combien de nombres naturels arrondis :

   a) à la dizaine près donnent 50 ?

   b) à la centaine près donnent 700 ?

   c) à l'unité de mille près donnent 0 ?

   d) à la dizaine de mille près donnent 40 000 ?

11. Arrondis le nombre 999 999 995 à la dizaine près.

12. À quelle position est-il raisonnable d'arrondir :

   a) la population du Québec ?   b) le prix d'un dictionnaire ?

   c) le coût d'un ordinateur ?   d) le prix d'un crayon-feutre ?

13. Indique s'il est préférable d'utiliser une valeur exacte ou une valeur approximative pour décrire chacune des situations suivantes.

1 On s'intéresse au nombre de poissons dans un lac.

2 On veut connaître le nombre de passagers et de passagères à bord d'un avion avant de procéder au décollage.

3 Dans une voiture, les enfants demandent le temps qu'il reste avant d'arriver à destination.

4 On veut rapporter dans un article le nombre de personnes qui ont assisté gratuitement à un spectacle en plein air lors de la Saint-Jean-Baptiste.

14. Lequel des énoncés suivants n'est pas une estimation ?

A Le temps d'attente à l'urgence d'un hôpital est de 10 h.

B Il y a 300 000 téléspectateurs et téléspectatrices qui regardent cette émission de télévision.

C Il y a 1000 m dans 1 km.

D La distance entre Joliette et Val-d'Or est de 500 km.

15. Voici les tarifs des différents abonnements annuels pour visiter un jardin zoologique. Estime le coût total de l'abonnement pour un adulte, deux adolescents et un enfant.

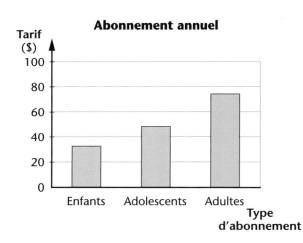

16. Détermine les nombres naturels représentés par les symboles ■, ▲, ● et ◆.

a) Si l'on arrondit ■ à la dizaine près, on obtient 30. De plus, ■ < 26.

b) ▲ est le plus grand nombre qui, arrondi à la dizaine près, donne 0.

c) Si l'on arrondit ● à la dizaine près, on obtient 2000. De plus, ● > 2003.

d) Si l'on arrondit ◆ à la centaine près, on obtient 400. De plus, ◆ < 402.

17. Rédige une présentation de ton école dans laquelle on trouvera les informations suivantes.

- Le nombre exact d'élèves dans ta classe de mathématiques.
- Le nombre arrondi à la dizaine près d'enseignants et d'enseignantes en 1re année du secondaire.
- Le nombre arrondi à la centaine près d'élèves en 1re année du secondaire.
- Une estimation du nombre d'élèves qui ont fréquenté l'école en 1re année du secondaire depuis son ouverture.

18. LE ROGERS CENTRE Pour un match de football, le Rogers Centre de Toronto peut accueillir plusieurs milliers de spectateurs et spectatrices. Lors d'un match, on décide de remettre une paire de billets à la personne qui aura le mieux estimé le nombre de spectateurs et de spectatrices dans le stade. On projette donc sur l'écran géant une représentation du Rogers Centre pendant une minute. Une partie du stade, où se trouvent des spectateurs et des spectatrices, est couverte. Estime le nombre de personnes qui assistent au match. Sur l'illustration, un point représente 100 personnes.

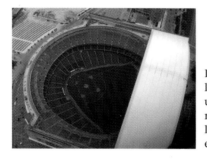

Le Rogers Centre est le premier stade avec un toit entièrement rétractable. On peut l'ouvrir ou le fermer en 20 min.

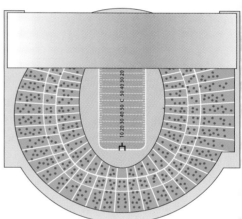

ZOOM

1 Lors d'un spectacle, on a estimé la foule à 6714 personnes. Pourquoi cette estimation est-elle étrange?

2 Afin d'estimer la somme 3491 + 475 + 437 + 486, on décide d'arrondir tous les nombres à l'unité de mille près. Que penses-tu de cette stratégie? Explique ta réponse.

3 Si la différence entre deux nombres est 1, la différence entre l'arrondi de chacun de ces nombres peut-elle être 1000? Explique ta réponse.

4 Sophie affirme que le prix de sa voiture est de 0 $ si elle l'arrondit à la centaine de mille près. Son amie Julie affirme que cela n'a aucun sens. Qui a raison? Explique ta réponse.

Unité  La population a du caractère

PROJET

Cette unité t'aidera à réaliser les parties 3 et 4 de ton projet.

SITUATION-PROBLÈME Le recyclage

Au Québec, plus de 20 tonnes de déchets sont produits à la minute, soit près de 11 millions de tonnes annuellement. En 2000, 7 millions de tonnes de ces déchets ont été déversés sur des sites d'enfouissement alors qu'ils auraient pu être récupérés. On considère que la récupération est efficace lorsqu'au moins la moitié de la quantité générée est récupérée.

Voici des informations concernant la récupération par deux familles au cours d'une semaine.

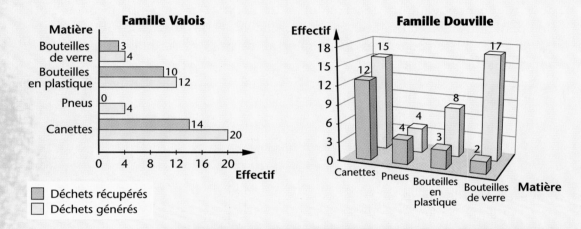

Famille Valois

Matière	Déchets récupérés	Déchets générés
Bouteilles de verre	3	4
Bouteilles en plastique	10	12
Pneus	0	4
Canettes	14	20

☐ Déchets récupérés
☐ Déchets générés

Famille Douville

	Canettes	Pneus	Bouteilles en plastique	Bouteilles de verre
Effectif récupérés	12	4	3	2
générés	15	4	8	17

Famille Valois	Matière	Effectif	
		Déchets générés	Déchets récupérés
	Cartons de lait (1 L)	10	8
	Revues	1	1
	Journaux	7	6

Famille Douville	Matière	Effectif	
		Déchets générés	Déchets récupérés
	Cartons de lait (1 L)	15	0
	Revues	4	4
	Journaux	7	7

Selon ces informations, ces familles font-elles de la récupération efficace ?

PISTES D'EXPLORATION...

☐ Connais-tu la signification du mot « effectif » ?

☐ As-tu comparé le nombre de déchets générés à celui des déchets récupérés ?

☐ As-tu comparé tes résultats à ceux d'autres élèves ?

La géante de la savane africaine

La girafe est le plus grand mammifère terrestre. On la trouve dans plusieurs pays d'Afrique, dont la Zambie.

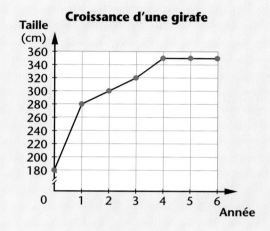

Croissance d'une girafe
Taille (cm)

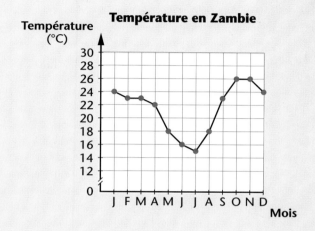

Température en Zambie
Température (°C)

a. Quel est le mois le plus froid en Zambie? Comment cela s'explique-t-il?

b. En quelle année le nombre de girafes a-t-il été le plus élevé dans le troupeau?

c. Quelle est la taille d'une girafe à la naissance?

d. À quel âge la girafe cesse-t-elle de grandir?

e. Au cours de quelle année la girafe connaît-elle sa plus forte croissance?

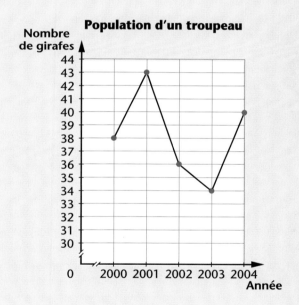

Population d'un troupeau
Nombre de girafes

La girafe se tient debout environ 20 min après sa naissance. À l'âge adulte, elle peut atteindre une vitesse de 56 km/h au galop.

f. Quel est l'écart entre la température la plus élevée et la température la moins élevée en Zambie?

g. Pour la période allant de 2000 à 2004, quel est l'écart entre le nombre maximal et le nombre minimal de girafes dans le troupeau?

5000 ans de recensement

En Nouvelle-France, Jean Talon fut le premier dirigeant de la colonie à effectuer un recensement; cela se passait en 1666. Il interrogea lui-même la plupart des 3215 habitants et habitantes de l'époque en effectuant du porte-à-porte.

Depuis bien longtemps, les peuples font des recensements. En effet, les peuples babylonien, chinois et romain dénombraient leur population afin de prélever des impôts, de lever des armées ou d'obtenir des renseignements sur leur empire.

Depuis 1956, les recensements ont lieu tous les cinq ans et nécessitent l'emploi de milliers de personnes et d'ordinateurs.

a. Combien de recensements y a-t-il eu depuis 1956?

b. De nos jours, pourquoi fait-on un recensement?

c. Pour faire un recensement dans ta classe, combien d'élèves dois-tu interroger?

d. 1) Dans le cadre d'un recensement, compose huit questions afin d'obtenir des renseignements personnels et familiaux sur les élèves de la classe.

2) Classe tes questions en deux catégories : celles dont la réponse attendue est un nombre et celles dont la réponse attendue est un mot.

En 1890, aux États-Unis, l'invention de la machine à statistiques permit de compiler les informations du recensement en six semaines plutôt qu'en huit ans, comme en 1880!

Recensement, population et caractère

La **statistique** est la branche des mathématiques qui a trait à la collecte, au classement, à l'analyse et à l'interprétation des données afin d'en tirer des conclusions et de faire des prévisions.

Recensement : recherche d'informations sur toute une population. Lorsque cette population est constituée d'objets, on parle plutôt d'**inventaire**.

Population : ensemble des êtres vivants ou des objets sur lesquels porte une étude statistique.

Caractère : ce sur quoi porte la recherche de données. Il existe deux types de caractères :

- **qualitatifs :** données recueillies qui sont des **mots** ou des **codes**;

  Ex. : couleur des yeux, sport préféré, religion, code postal.

- **quantitatifs :** données recueillies qui sont des **nombres**.

  Ex. : âge, nombre de frères et sœurs, taille, masse.

Ex. :

Inventaire

Population	Caractère étudié	Type de caractère
L'ensemble des planches à neige dans une boutique de sport	Longueur des planches à neige	Quantitatif
	Couleur des planches à neige	Qualitatif

Étendue

L'**étendue** est la mesure qui correspond à la **différence** entre les **données extrêmes** d'une distribution.

$$\text{Étendue} = \left(\begin{array}{c}\textbf{donnée ayant}\\\textbf{la plus grande valeur}\end{array}\right) - \left(\begin{array}{c}\textbf{donnée ayant}\\\textbf{la plus petite valeur}\end{array}\right)$$

Ex. : Dans un groupe de personnes où la plus jeune a 22 ans et la plus âgée a 75 ans, l'étendue des âges est de 53 ans (75 − 22 = 53).

Tableaux

En statistique, on utilise souvent des **tableaux** et des **diagrammes** pour fournir des informations d'une manière claire et concise.

Principaux éléments d'un tableau de distribution

Les modalités (caractère qualitatif) sont généralement présentées selon un certain ordre : alphabétique, chronologique ou d'effectif.

Forces armées ← Titre

En-tête à chaque colonne →

Les **modalités** sont les différentes formes que peuvent prendre les données recueillies.

L'**effectif** est le nombre de fois qu'une modalité apparaît.

Les valeurs (caractère quantitatif) sont généralement présentées en ordre croissant.

Fonction	Effectif
Armée-cadre	157 000
Armée de l'air	155 000
Armée navale	156 000
Armée de terre	153 000
Total	621 000

← Effectif total (optionnel)

Diagrammes à bandes et à ligne brisée

Le **diagramme à bandes** est généralement utilisé pour représenter les modalités d'un caractère **qualitatif**.

Le **diagramme à ligne brisée** est utilisé pour représenter des phénomènes qui **évoluent dans le temps**.

Principaux éléments d'un diagramme

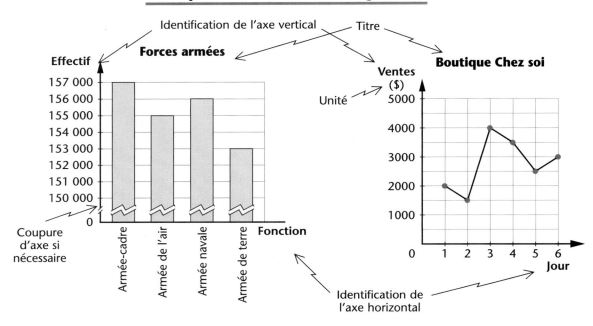

- Toutes les bandes ont la **même largeur**.
- Tous les espaces entre les bandes sont égaux.
- Les bandes peuvent être **verticales** ou **horizontales**.

- La croissance, les variations de température et l'évolution démographique d'une population sont des exemples de phénomènes qui peuvent être représentés par un diagramme à ligne brisée.
- On place l'unité de temps sur l'axe horizontal.

Comment déterminer le pas de graduation ?

- Le **pas de graduation** doit être constant tout le long de l'axe.
- On utilise généralement de cinq à dix graduations,

  Ex. : 1) Le plus grand effectif est 19 800.
  2) Nombre de graduations désirées : par exemple, 10.
  3) Pas de graduation : 19 800 ÷ 10 = 1980 ≈ 2000.

- On utilise parfois une coupure d'axe pour éliminer certaines graduations.

Coup d'œil

1. Pour chacune des situations suivantes, indique :

   1 la population ;   **2** le caractère étudié ;   **3** le type de caractère.

   a) On interroge les gens du quartier Hochelaga sur leur état civil.

   b) On relève le nombre d'animaux dans chaque maison de la rue de L'Église.

   c) On s'intéresse au coût des dommages causés par 27 incendies majeurs qui ont eu lieu à Trois-Rivières l'an dernier.

   d) On demande aux jeunes du camp de jour L'Étoile quelles sont leurs activités estivales préférées.

2. Chaque diagramme comporte une ou des erreurs. Relève-les.

   a)
   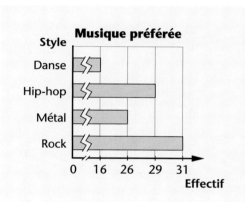

   b)
   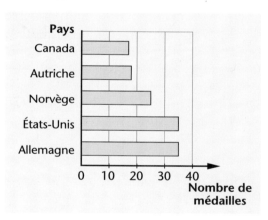

   c)
   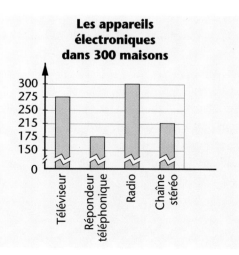

   d)

3. Calcule l'étendue de ces distributions.

a) 23, 54, 23, 64, 31, 87, 82, 15, 53, 76

b) 43, 71, 24, 136, 79, 44, 37

4. Indique s'il s'agit d'un recensement ou d'un inventaire.

a) On désire connaître le nombre total de chaises dans un magasin.

b) On s'intéresse à toutes les personnes de plus de 100 ans au Canada afin de connaître la recette de leur longévité.

c) On désire connaître le nombre de loups dans le refuge Pageau.

d) On compte le nombre d'éprouvettes dans un laboratoire médical.

Le refuge Pageau, créé en 1987, est situé à Amos, en Abitibi. Michel et Louise Pageau accueillent les animaux sauvages blessés ou handicapés et les bébés abandonnés. Ils les soignent et les nourrissent, et si l'état de santé de l'animal le permet, ils le remettent en liberté. Sinon, il devient pensionnaire du refuge.

5. Indique si chacune des informations demandées sur la fiche d'inscription ci-dessous est un caractère qualitatif ou un caractère quantitatif.

Fiche d'inscription – Ski mont Saint-Sauveur

Nom : _____ ① _____   Prénom : _____ ② _____

Âge : ③   Masse (en kg) : ④   Taille (en cm) : ⑤

Location : ⑥ Non / Oui

6. ZOOLOGIE Construis un diagramme à bandes représentant les données du tableau ci-dessous.

Tu peux utiliser un tableur pour construire le diagramme.

Nombre d'œufs pondus par quelques espèces animales

Espèce animale	Nombre d'œufs pondus
Agassizi (poisson)	200
Autruche	80
Caméléon	50
Crapaud	60
Tortue de mer	100

7. Construis le tableau correspondant au diagramme à ligne brisée ci-contre.

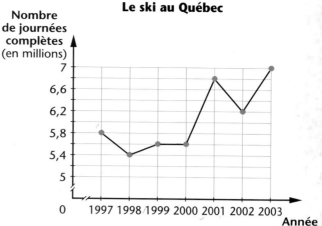

Le ski au Québec

Nombre de journées complètes (en millions) en fonction de l'Année.

8. Voici les résultats de quelques études statistiques. On voudrait représenter ces résultats dans des diagrammes à bandes. Dans chaque cas :

1 calcule l'étendue ;

2 détermine quel devrait être le pas de graduation ;

3 détermine s'il est préférable de faire une coupure d'axe.

a)

Plus hauts édifices du monde

Nom	Pays	Hauteur (m)
Petronas Towers	Malaysia	452
Sears Tower	États-Unis	442
Jin Mao Tower	Chine	421
Two International Finance Center	Chine	415
Citic Plaza	Chine	391
Shun Hing Square	Chine	384
Empire State Building	États-Unis	381
Central Plaza	Chine	374
Banque de Chine	Chine	369
Emirates Tower	Chine	355

Inaugurées en 1998, les tours jumelles Petronas Towers comptent 88 étages chacune. Au niveau des 41e et 42e étages, à 170 m du sol, ces tours sont reliées par une passerelle d'acier.

b)

PISTES CYCLABLES DU QUÉBEC

Nom de la piste	Longueur (km)
Jacques-Cartier	63
La Campagnarde	80
Le Petit Témis	130
Le P'tit train du Nord	200

c) **Appareils téléphoniques dans les foyers d'un quartier**

Nombre d'appareils	Effectif
1	12
2	24
3	32
4	28
5	18
6	8

9. On veut construire un diagramme dont les effectifs sont les suivants : 1 000 000, 2 000 000, 4 000 000, 6 000 000 et 8 000 000. Comment pourrait-on simplifier les graduations sur l'axe des effectifs ?

10. SPORT Un lanceur peut effectuer plusieurs types de lancers. Parmi ceux-ci, c'est la balle rapide qui atteint la plus grande vitesse.

    a) L'axe horizontal du diagramme ci-dessous comporte une coupure d'axe. Quelles graduations n'ont pas été inscrites à cause de cette coupure ?

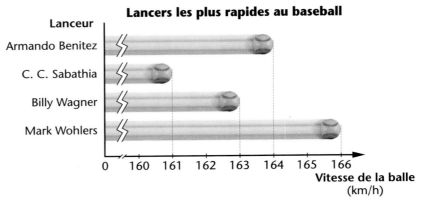

Lancers les plus rapides au baseball

Lanceur

Armando Benitez

C. C. Sabathia

Billy Wagner

Mark Wohlers

0   160   161   162   163   164   165   166

Vitesse de la balle (km/h)

    b) Construis un tableau correspondant au diagramme à bandes ci-dessus.

Éric Gagné, originaire de Mascouche, a établi un nouveau record au baseball majeur en effectuant 84 sauvetages de suite. L'as releveur des Dodgers de Los Angeles n'a pas raté une seule occasion de sauvetage du 26 août 2002 au 5 juillet 2004. Gagné est d'ailleurs devenu le premier Québécois à remporter le trophée Cy Young, remis au meilleur lanceur, lors de la saison 2003.

11. Daphné s'entraîne à la course à pied. Tous les deux ans, depuis 1992, elle court le marathon de Montréal. Voici les temps qu'elle a obtenus.

    a) Trace un diagramme à ligne brisée représentant cette situation.

    b) Quelle erreur d'interprétation peut-on faire si l'on arrête le diagramme en l'an 2000 ?

    c) Quelle est l'étendue de ces données ?

    d) Entre quelles années Daphné s'est-elle le plus améliorée ?

Marathon de Montréal

Année	Temps (min)
1992	210
1994	188
1996	175
1998	165
2000	157
2002	168
2004	197

12. Le diagramme à bandes permet de comparer des données. Dans le diagramme suivant, on compare le temps consacré aux enfants par le père et la mère dans une certaine famille.

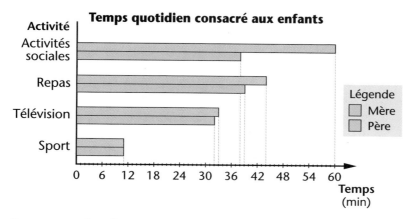

Dans cette famille, combien de minutes de plus que le père la mère passe-t-elle avec ses enfants?

13. Un pictogramme est un diagramme dans lequel un motif répété plusieurs fois indique l'effectif. Une légende indique la valeur du motif.

a) Combien de jeunes de 16 ans de cette école travaillent au cours de l'été?

b) Il y a plus d'animateurs et d'animatrices que de pompistes. Combien y en a-t-il de plus?

c) Quel est l'emploi le plus populaire chez les jeunes de cette école?

d) Combien de fois le nombre de serveurs et de serveuses est-il plus élevé que le nombre de pompistes?

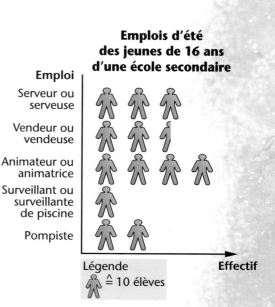

14. CINÉMA Trace le diagramme à bandes correspondant aux données ci-dessous.

Les plus grandes recettes au cinéma

Titanic	752 000 000 $
La Guerre des étoiles : épisode 4	578 000 000 $
Shrek 2	546 000 000 $
E.T.	544 000 000 $

15. On a lancé 20 dés. Voici le résultat obtenu :

Construis un tableau de distribution représentant cette situation.

16. On désire augmenter le parc automobile d'une entreprise de location en achetant plusieurs voitures. On hésite entre les deux modèles présentés dans le diagramme ci-contre.
Quel modèle devrait-on choisir ?
Pourquoi ?

Légende
—— Modèle A
—— Modèle B

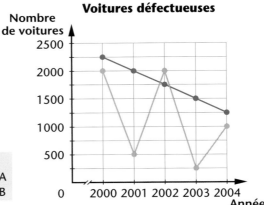

17. On a demandé aux membres du personnel d'une entreprise le nombre d'enfants qu'ils et elles avaient.

a) Combien y a-t-il d'employés et d'employées dans cette entreprise ?

b) Combien de membres du personnel ont au moins deux enfants ?

c) Combien de membres du personnel ont des enfants ?

d) Quelle est l'étendue du nombre d'enfants ?

Nombre d'enfants du personnel d'une entreprise

Nombre d'enfants	Effectif
0	14
1	40
2	35
3	12
4	8
5	5

18. On veut comparer la température de Montréal à celle de Berlin. Les informations suivantes, relevées un 15 septembre, ont été trouvées sur un site Internet.

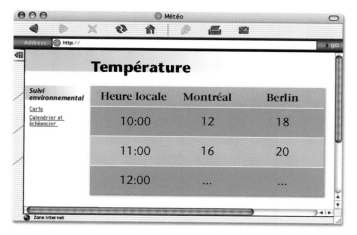

Heure locale	Montréal	Berlin
10:00	12	18
11:00	16	20
12:00	...	...

À partir de 10:00, la température monte de 4 °C par heure à Montréal et de 2 °C par heure à Berlin. Après 14:00, la température baisse de 3 °C par heure à Montréal et de 1 °C par heure à Berlin, et ce, jusqu'à 17:00.

Représente cette situation à l'aide d'un seul diagramme.

19. Dans un groupe de 60 jeunes qui pratiquent le karaté, on trouve quatre couleurs de ceintures : le bleu, l'orange, le jaune et le vert. La répartition des ceintures, par couleur, a les caractéristiques suivantes :

- Toutes les couleurs ont un effectif pair.
- Toutes les couleurs ont un effectif différent.
- Si on place les couleurs dans l'ordre alphabétique, elles sont aussi dans l'ordre décroissant d'effectif.
- L'effectif du bleu est le double de l'effectif du vert.
- Le jaune a un effectif inférieur à 18.

Construis un diagramme à bandes représentant cette situation.

1 Quelle est la différence entre un recensement et un sondage ?

2 Est-ce qu'un numéro de téléphone est un caractère qualitatif ou un caractère quantitatif ?

3 Quels sont les avantages d'un diagramme si on le compare avec un texte écrit ?

4 Que penses-tu de l'affirmation suivante : « En statistique, la population représente des personnes » ? Explique ta réponse.

Société des maths

Des os numériques!

Avant l'apparition des chiffres, l'être humain utilisait différents moyens pour représenter des quantités. Par exemple, à l'ère préhistorique, on faisait des entailles sur des os pour évaluer la quantité de gibier abattu. Ainsi, des «os numériques» vieux de près de 20 000 ans ont été retrouvés.

La civilisation babylonienne

L'un des plus anciens systèmes de numération est celui de la civilisation babylonienne. On connaît ce système grâce à des inscriptions sur des tablettes d'argile, dont les plus vieilles remontent à environ 2500 ans avant J.-C. Dans le système babylonien, on n'utilise que deux symboles : le clou, ▼, qui vaut une unité de sa valeur de position, et le chevron, ◄, qui vaut dix unités de sa valeur de position. Comme le montrent les exemples suivants, le système de numération babylonien est à base soixante.

Exemple 1

$2 \times 60 + 19 \times 1 = 139$

Exemple 2

$46 \times 60 + 53 \times 1 = 2813$

D'autres civilisations ont utilisé des tas de cailloux, des cordes avec des nœuds ou des parties du corps, comme les doigts et les jambes, pour compter.

1 pouce droit
2 index droit (= 1 + 1)
3 majeur droit (= 1 + 2)
4 annulaire droit (= 1 + 3)
5 auriculaire droit (= 1 + 4)
6 auriculaire gauche (= 5 + 1)
7 annulaire gauche (= 5 + 2)
8 majeur gauche (= 5 + 3)
9 index gauche (= 5 + 4)
10 pouce gauche (= 5 + 5)
11 petit orteil droit (= 10 + 1)
12 orteil suivant (= 10 + 2)
13 orteil suivant (= 10 + 3)
14 orteil suivant (= 10 + 4)
15 gros orteil droit (= 10 + 5)
16 gros orteil gauche (= 15 + 1)
17 orteil suivant (= 15 + 2)
18 orteil suivant (= 15 + 3)
19 orteil suivant (= 15 + 4)
20 petit orteil gauche (= 15 + 5)

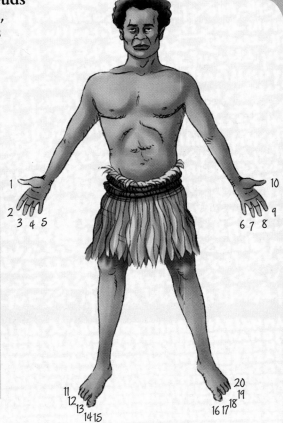

Pas si bête!

Vers 1500 ans avant notre ère, en Mésopotamie, les bergers et les bergères recevaient chaque matin une bourse contenant autant de boulettes qu'ils et elles avaient de bêtes à garder. Au retour, il leur suffisait d'en retirer une chaque fois qu'une bête rentrait dans l'étable pour s'assurer qu'il n'en manquait pas. On a d'ailleurs découvert en Irak, dans les ruines du palais de Nuzi, une bourse contenant 48 boulettes. Sur la bourse se trouvait la liste des 48 bêtes du troupeau.

Histoire de la numération

La civilisation romaine

Le système de numération romain comporte plusieurs symboles, dont quelques-uns apparaissent dans le tableau ci-dessous.

Symboles	Valeurs
I	1
V	5
X	10
L	50
C	100
D	500
M	1000

Dans ce système, on additionne les valeurs des symboles, sauf lorsqu'un symbole désignant une valeur plus petite est placé devant un symbole désignant une valeur plus grande; on soustrait alors la petite valeur de la grande. De plus, on n'écrit jamais plus de trois symboles identiques de suite. Voici trois exemples :

XXVIII = 28   XC = 90   MCDVII = 1407

Le peuple indien... puis le peuple arabe

Les astronomes, les mathématiciens et les mathématiciennes de l'Inde utilisaient, au 5e siècle, un système de numération positionnel à base dix comprenant dix symboles, dont le 0. C'est ce système numérique qui est à l'origine de celui en usage de nos jours. Toutefois, ce sont les Arabes qui ont introduit ce système en Occident. La forme des dix chiffres a beaucoup changé avant de devenir celle que l'on connaît aujourd'hui.

À **TOI** DE **JOUER**

1. Dans les textes historiques, on utilise souvent le terme « siècle » pour indiquer une période de temps. Combien de siècles avant J.-C. les bergers et les bergères comptaient-ils leurs bêtes avec des boulettes?

2. Sous l'influence de quel système divise-t-on encore aujourd'hui les heures en 60 min et les minutes en 60 s?

3. Utilise le système de numération babylonien puis le système romain pour écrire le nombre qui correspond à :
   a) ton âge;
   b) 47;
   c) 2134.

À **TOI** DE **CHERCHER**

4. a) Les personnes sourdes communiquent avec leurs mains. Quels signes utilisent-elles pour communiquer les nombres de 1 à 10?

   b) Le braille est une écriture en relief qui permet aux personnes non voyantes de lire avec leurs doigts. Illustre les chiffres de 0 à 9 en braille.

5. Représente les nombres de 0 à 19 à l'aide du système de numération maya.

Mieux vaut prévenir que guérir

Les minutes qui suivent une catastrophe sont déterminantes quant à l'organisation des secours. Il faut décider vite et bien. C'est pourquoi les spécialistes en gestion de crise élaborent des plans d'intervention visant à assurer la protection des gens en cas de catastrophes.

La carte ci-dessous montre les incidents les plus susceptibles de survenir, selon les régions du Québec.

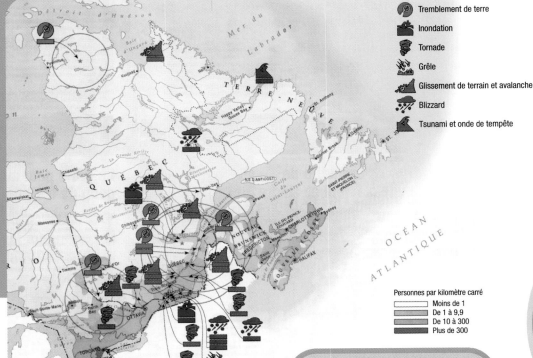

Tremblement de terre

Inondation

Tornade

Grêle

Glissement de terrain et avalanche

Blizzard

Tsunami et onde de tempête

Personnes par kilomètre carré
Moins de 1
De 1 à 9,9
De 10 à 300
Plus de 300

Dans l'action

Les spécialistes en gestion de crise travaillent au sein de l'administration publique en collaboration avec les gouvernements, les services policiers, les services des incendies et les organismes humanitaires. En cas d'urgence, les spécialistes en gestion de crise analysent la situation et décident, à l'aide des mathématiques, des actions à entreprendre.

- Lors d'une inondation, il faut déterminer le chemin le plus court pour se rendre sur les lieux et estimer le nombre de véhicules et de bateaux nécessaires.

- Lors d'un incendie de forêt, il faut établir un périmètre de sécurité et évaluer la surface qui sera prise en charge par les pompiers et les pompières et celle qui sera couverte par les avions-citernes.

- Dans le cas d'une famine, on envoie des bidons d'eau et de la nourriture. Il faut calculer le volume occupé par ces vivres et leur masse pour choisir la meilleure façon de les acheminer.

- Dans tous les cas, on utilise les statistiques pour connaître le nombre et le type de personnes à aider (sexe, âge, enfants, femmes enceintes, etc.).

Au Québec

1998
Crise du verglas dans plusieurs régions du Québec.

1996
Déluge du Saguenay.

1991
Tornade de Maskinongé.

1991
Incendie de forêt sur la Côte-Nord.

1988
Tremblement de terre de 6,0 à l'échelle de Richter au Saguenay.

1987
Inondation après la chute de 100 mm de pluie en 2 h à Montréal.

La crise du verglas : du jamais vu !

Dans l'histoire du Québec, la crise du verglas de 1998 fut l'une des catastrophes naturelles les plus importantes en ce qui a trait au nombre de personnes touchées et à la durée de l'événement. Voici quelques données permettant de bien saisir l'ampleur de cette crise.

9 janvier
Le nombre de foyers privés d'électricité atteint 1 400 000, affectant ainsi environ 4 200 000 personnes.

12 janvier
L'armée intervient et dépêche 12 000 militaires dans 50 municipalités pour prêter main-forte aux autorités locales. C'est le plus grand déploiement de son histoire en temps de paix.

7 février
Rétablissement complet des services d'Hydro-Québec.

Bilan

* Entre 50 et 90 mm de pluie verglaçante tombée ;
* environ 1000 pylônes en acier écroulés ;
* près de 3000 km de fils électriques remplacés ;
* 454 centres d'hébergement ouverts : 130 000 lits offerts et 290 000 repas servis.

À TOI DE JOUER

1 Lors d'une inondation, on doit évacuer 100 personnes à l'aide d'un hélicoptère pouvant transporter 5 personnes et d'un bateau pouvant en transporter 11. L'hélicoptère effectue trois fois plus de voyages que le bateau. Quel est le nombre minimal de voyages que chacun devra effectuer ?

2 En 1987, combien de centimètres de pluie sont tombés sur Montréal en 2 h ?

3 Voici un calcul :

$$12\ 000 \div 50 = 12\ 000 \div 100 \times 2$$
$$= 120 \times 2$$
$$= 240$$

a) Explique cette stratégie de calcul mental.

b) Que représente cette réponse dans le contexte de la crise du verglas ?

4 Du 9 au 13 janvier 1998, une municipalité québécoise a reçu respectivement 32, 18, 20, 5 et 10 mm de pluie verglaçante par jour. Construis un diagramme illustrant les précipitations reçues durant ces cinq jours.

À TOI DE CHERCHER

5 Détermine le chemin le plus court qu'une ambulance devrait emprunter pour aller de ton école à l'hôpital le plus près.

1. JEUX OLYMPIQUES Barcelone est une ville d'Espagne qui a accueilli les Jeux olympiques d'été en 1992. Sa population est évaluée à environ 2 500 000 habitants et habitantes, et la température minimale, l'été, est de 25 °C.

a) Indique la valeur associée au chiffre 2 dans chacun des nombres mentionnés dans le texte.

b) Sachant que les Jeux olympiques d'été ont lieu tous les quatre ans, détermine combien de Jeux d'été il y a eu entre 1975 et 2005.

c) Est-il possible que les Jeux olympiques d'été aient lieu au cours d'une année impaire ? Explique ta réponse.

2. SANTÉ Le pouls correspond au battement de notre cœur. La vitesse à laquelle il bat donne des informations sur notre état de santé. Construis un diagramme représentant les données du tableau ci-contre.

Pouls d'une personne de 12 ans	
État physique	Nombre de pulsations cardiaques
Repos	80 par minute
Marche	100 par minute
Jogging	130 par minute
Course	145 par minute

3. Une bibliothèque comporte 5 tablettes, chacune pouvant contenir 32 livres. Tous les livres ont les mêmes dimensions.

49 Roman policier   47 Science-fiction   29 Aventures   37 Cinéma

Peux-tu ranger tous les livres ci-dessus dans cette bibliothèque ? Si oui, indique le nombre de places qu'il reste à combler et, sinon, indique le nombre de livres en trop.

4. ÉLECTRICITÉ Pour connaître la consommation d'électricité d'une maison, le fournisseur se fie à un compteur à cadrans.

a) Explique comment fonctionne un tel compteur.

b) Quelle lecture fais-tu sur le compteur illustré ci-contre ?

c) Pourquoi l'aiguille des unités de mille est-elle plus près du 2 que du 3 ?

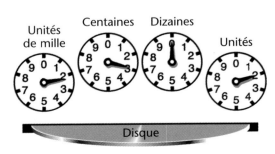

5. **BIODÔME** Le Biodôme de Montréal est divisé en quatre régions.

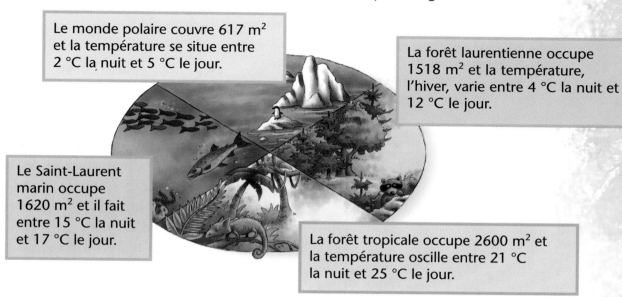

Le monde polaire couvre 617 m² et la température se situe entre 2 °C la nuit et 5 °C le jour.

La forêt laurentienne occupe 1518 m² et la température, l'hiver, varie entre 4 °C la nuit et 12 °C le jour.

Le Saint-Laurent marin occupe 1620 m² et il fait entre 15 °C la nuit et 17 °C le jour.

La forêt tropicale occupe 2600 m² et la température oscille entre 21 °C la nuit et 25 °C le jour.

a) Estime la superficie totale du Biodôme.

b) Laquelle des quatre régions a le plus petit écart de température entre le jour et la nuit?

c) Estime le nombre de fois que l'espace occupé par la forêt tropicale est plus grand que celui occupé par le monde polaire.

d) De 1992 à 2002, il y a eu environ 10 millions de visiteurs et de visiteuses au Biodôme. Estime le nombre moyen de visiteurs et de visiteuses par semaine durant cette période.

6. **CHÈQUE** On utilise parfois un chèque pour effectuer une transaction bancaire. On doit inscrire sur un chèque la somme d'argent de deux façons : en chiffres et en toutes lettres.

> FOLIO **123 321**   Chèque #53
>
> Banque TS
> 123, rue Principale
> Saint-Étienne, Québec   Date _20 Juin 2003_
>
>   _CENTRE DE LOCATION EAU VIVE_ $ _264,00_
>
> Payer à
> l'ordre de   _DEUX CENT SOIXANTE-QUATRE_   ˣˣ/100 dollars
>
> Pour _CANOTS ET GILETS DE SAUVETAGE_   _Lucie Champagne_

a) Pourquoi est-il préférable de tracer des traits avant et après l'écriture en toutes lettres de la somme d'argent?

b) Écris en toutes lettres chacun des nombres suivants.

1) 12 400   2) 8000   3) 5625

> Si les deux façons d'écrire la somme d'argent ne concordent pas, le chèque est annulé.

c) Le chèque a permis de payer la location de 6 canots à 35 $ et de 18 gilets de sauvetage. Quel est le coût de location d'un gilet de sauvetage?

d) Frédéric Lachance désire partir en voyage pour une semaine au Mexique. Il consulte l'agence de voyages Les Ailes d'or. Le prix de ce voyage est de 1161 $. Il désire payer cette somme par chèque en trois versements égaux. Rédige le premier des trois chèques en utilisant la date d'aujourd'hui.

7. Youri achète des vêtements dans un magasin. Le montant total de la facture s'élève à 77 $. Youri a 5 billets de 20 $ et 5 pièces de 2 $. Le caissier n'a que 3 billets de 10 $ et 2 pièces de 1 $. Quel est le plus petit montant que Youri peut remettre au caissier pour que celui-ci soit capable de lui rendre sa monnaie exacte?

8. **VENTE** Un grand magasin fait une étude pour comparer les approches de vente suivantes.

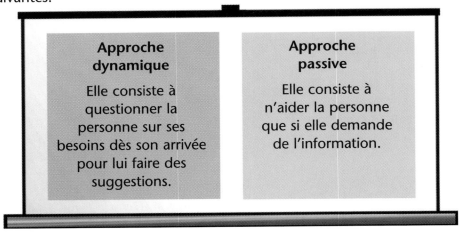

Ventes selon l'approche

	Nombre de ventes réalisées	Nombre de ventes non réalisées	Total
Approche dynamique	412	▬	1300
Approche passive	216	200	▬
Total	▬	▬	▬

a) Combien de clients et de clientes ont fréquenté le magasin?

b) Peut-on affirmer que plus de la moitié de la clientèle fait des achats? Explique ta réponse.

c) Laquelle des deux approches semble la plus efficace? Explique ta réponse.

9. **RECYCLAGE** Le verre a la particularité de pouvoir être recyclé indéfiniment sans jamais perdre sa qualité. Voici un diagramme concernant le verre recyclé au Québec.

a) En quelle année le recyclage du verre a-t-il été :

1) le plus faible?

2) le plus élevé?

b) Aurait-on pu couper l'axe vertical entre 0 et 10 000 sans perdre d'informations?

c) Estime la quantité totale de verre que l'on a recyclé de 1990 à 1994.

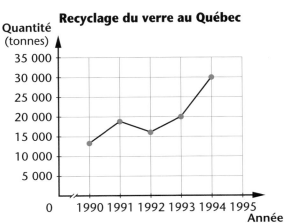

10. BARRAGE À la Baie-James, on peut circuler sur la crête d'un barrage hydroélectrique aussi haut qu'un édifice de 53 étages. Estime la hauteur de ce barrage.

Le réservoir Robert-Bourassa a une superficie de 2835 km². Il contient au total 61,7 milliards de mètres cubes d'eau.

11. STATISTIQUES Le tableau ci-dessous présente le nombre de vols de véhicules à moteur au Canada au cours de sept années consécutives.

Vols de véhicules à moteur au Canada

Année	Nombre de vols
1995	162 000
1996	181 000
1997	177 000
1998	166 000
1999	161 000
2000	160 000
2001	171 000

a) Dans ce tableau, tous les nombres de la seconde colonne ont été arrondis à la même position. Laquelle ?

b) Illustre l'évolution du nombre de vols de véhicules à moteur au Canada à l'aide du diagramme approprié.

c) Décris l'évolution du nombre de vols de véhicules à moteur selon les années.

12. Une salle d'opéra comprend trois sections.

> Parterre : 40 rangées de 55 fauteuils à 60 $ chacun.
>
> Balcon : 15 rangées de 35 fauteuils à 40 $ chacun.
>
> Loge : 8 loges avec 2 rangées de 3 fauteuils à 100 $ chacun.

a) En utilisant les données ci-dessus, compose une question dont le résultat est :

1) un montant d'argent ;

2) un nombre de fauteuils ;

3) 1400 $;

4) un montant d'argent qui provient de la multiplication de quatre nombres.

b) Soumets tes questions à un ou à une élève et compare les réponses attendues avec celles obtenues.

13. Afin d'interpréter le tableau ci-dessous, Tristan a construit un diagramme à bandes.

Véhicules vendus par un concessionnaire

Année	Nombre de ventes
1950	400
1990	800
2000	1200
2005	1600

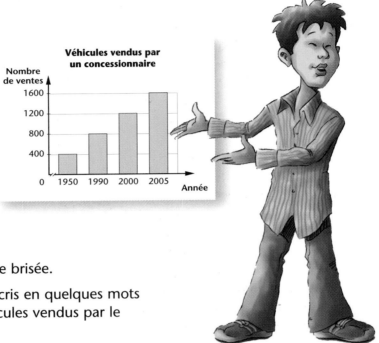

Ce diagramme montre que le nombre de véhicules vendus par le concessionnaire a connu une progression constante.

a) Sur quel élément du diagramme à bandes Tristan base-t-il son affirmation ?

b) L'affirmation de Tristan est-elle juste ? Pourquoi ?

c) Représente cette situation à l'aide d'un diagramme à ligne brisée.

d) À l'aide de ton diagramme, décris en quelques mots l'évolution du nombre de véhicules vendus par le concessionnaire.

14. À la radio :

> *Congestion sur l'autoroute 15, à Laval, causée par un véhicule en panne dans la voie du centre. Le bouchon s'étend sur plusieurs kilomètres.*

Répartis sur les 3 voies de l'autoroute, 750 véhicules sont ralentis par la voiture en panne. Dans le bouchon, on dénombre quatre fois plus de voitures que de poids lourds. Estime la distance sur laquelle s'étend le bouchon.

Voici quelques informations pouvant t'aider.

Au Québec, les routes dont le numéro est pair sont généralement parallèles au fleuve Saint-Laurent et celles dont le numéro est impair lui sont perpendiculaires.

Caractéristiques de quelques modèles de véhicules

Modèle	Longueur du véhicule (mm)	Capacité du réservoir (L)
Berline	3 930	50
Fourgonnette	4 450	102
Sport	3 620	76
Poids lourds	25 000	900

Panorama 2

De l'exponentiation aux chaînes d'opérations

Aujourd'hui, tout va si vite ! Les connaissances augmentent de façon exponentielle ! Mais qu'est-ce que l'exponentiation ? Comment les ordinateurs peuvent-ils calculer aussi rapidement ? Comment peux-tu toi-même savoir rapidement si un nombre est divisible par un autre ? Dois-tu toujours effectuer les opérations d'une chaîne d'opérations de gauche à droite ? Dans ce panorama, tu étudieras la notation exponentielle et tu l'utiliseras pour simplifier l'écriture, factoriser un nombre et calculer des chaînes d'opérations. Tu effectueras également des chaînes d'opérations te permettant de déterminer la moyenne.

PROJET

Les événements cycliques

Société des maths

Les machines à calculer

À qui ça sert ?

Cryptographe

Les événements cycliques

Présentation

Depuis longtemps, les scientifiques peuvent prédire avec une très grande précision la date à laquelle certains événements ou phénomènes vont se produire. Quelle est leur façon de procéder? En fait, il suffit d'utiliser quelques outils mathématiques et de s'intéresser à un événement ou à un phénomène cyclique, c'est-à-dire qui se reproduit à intervalles réguliers.

La comète de Halley, qui passe près de la Terre tous les 76 ans, a été nommée en l'honneur de Edmond Halley (1656-1742), qui fut le premier à étudier ce phénomène. On pourra la voir en 2061.

Mandat général proposé

À chaque partie du projet, tu devras produire un rapport en t'intéressant au caractère cyclique de la situation proposée.

- **Partie 1 :** Années bissextiles.
- **Partie 2 :** Prédiction du jour de la semaine correspondant à un anniversaire.
- **Partie 3 :** Quelques dates particulières.
- **Partie 4 :** Alignement des planètes.
- **Partie 5 :** Marées et phases de la Lune.

Les principales sections d'un rapport sont :

1. le titre;
2. le but;
3. l'analyse;
4. la conclusion.

Mise en train

1. Combien de jours une année compte-t-elle, habituellement?

2. Qu'est-ce qu'une année bissextile?

3. Ton anniversaire a-t-il lieu la même journée de la semaine chaque année? Pourquoi est-ce ainsi?

4. Pendant longtemps, on a pensé que le système solaire était un système géocentrique plutôt qu'héliocentrique. Quelle est la distinction entre ces deux systèmes? Associe un personnage historique à chacun de ces systèmes.

PROJET

Conserve les réponses à ces questions. Elles t'aideront à réaliser les autres parties du projet.

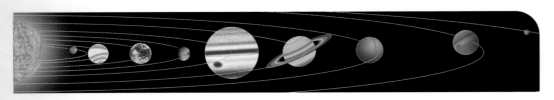

Partie 1 : Années bissextiles

Il y a bien longtemps que l'être humain essaie de quantifier le temps. Grâce au développement de méthodes de calcul précises et à une meilleure connaissance de notre univers, notre calendrier a beaucoup évolué.

Mandat proposé

Expliquer la présence des années bissextiles dans notre calendrier.

PISTES D'EXPLORATION...

■ Peut-on établir un lien entre notre calendrier et l'astronomie ?

■ Quelle est la durée d'une révolution complète de la Terre autour du Soleil ?

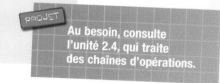

PROJET
Au besoin, consulte l'unité 2.4, qui traite des chaînes d'opérations.

Partie 2 : Prédiction du jour de la semaine correspondant à un anniversaire

De nos jours, on est en mesure de prédire longtemps d'avance la date et l'heure de certains phénomènes cycliques comme la pleine lune et les éclipses. Un peu de la même manière, tu peux déterminer la journée de la semaine où ton anniversaire de naissance aura lieu au cours des prochaines années.

Mandat proposé

Déterminer la journée de la semaine qui correspondra à ton 50e anniversaire de naissance.

PISTES D'EXPLORATION...

■ Quelle journée fêtes-tu ton anniversaire de naissance cette année ?

■ Quelle journée fêteras-tu ton anniversaire dans un an ? Dans deux ans ? Dans trois ans ? Dans quatre ans ? Existe-t-il une régularité ?

■ As-tu tenu compte des années bissextiles dans tes calculs ?

■ Combien de jours dois-tu compter pour passer de la journée de ton anniversaire de l'année actuelle à celle de ton 50e anniversaire ?

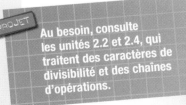

PROJET
Au besoin, consulte les unités 2.2 et 2.4, qui traitent des caractères de divisibilité et des chaînes d'opérations.

Partie 3 : Quelques dates particulières

Que ce soit pour vérifier une date d'anniversaire ou l'horaire scolaire, ou encore pour planifier des activités à l'avance, on consulte régulièrement le calendrier. Mais, même si on le regarde souvent, on ne s'aperçoit pas toujours qu'il présente plusieurs régularités.

Mandat proposé

Établir ce qu'ont en commun les journées du 4 avril, du 6 juin, du 8 août, du 10 octobre et du 12 décembre d'une même année.

PISTE D'EXPLORATION...

■ Étudie la régularité des dates mentionnées. Explique pourquoi il en est ainsi.

> PROJET
> Au besoin, consulte l'unité 2.2, qui traite des caractères de divisibilité.

Partie 4 : Alignement des planètes

En tournant autour du Soleil, plusieurs planètes en viennent parfois à être alignées. Selon certaines personnes, ce phénomène pourrait provoquer des événements extraordinaires sur la Terre.

Mandat proposé

Déterminer le temps nécessaire pour que les planètes illustrées ci-dessous soient de nouveau alignées dans cette position.

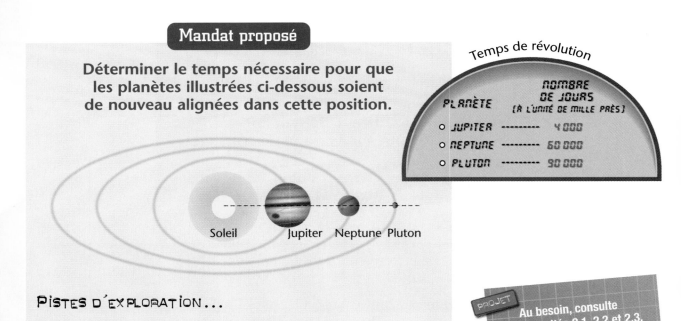

Temps de révolution

PLANÈTE	NOMBRE DE JOURS (À L'UNITÉ DE MILLE PRÈS)
○ JUPITER	4 000
○ NEPTUNE	60 000
○ PLUTON	90 000

Soleil   Jupiter   Neptune   Pluton

PISTES D'EXPLORATION...

■ Réfère-toi à un problème semblable qui comporte de plus petits nombres.

■ As-tu utilisé la factorisation première ?

> PROJET
> Au besoin, consulte les unités 2.1, 2.2 et 2.3, qui traitent de la notation exponentielle, de la factorisation, des diviseurs communs et des multiples communs.

Partie 5 : Marées et phases de la Lune

Voici un calendrier dont la disposition est plutôt spéciale. Il met en relation le cycle lunaire et le cycle des marées.

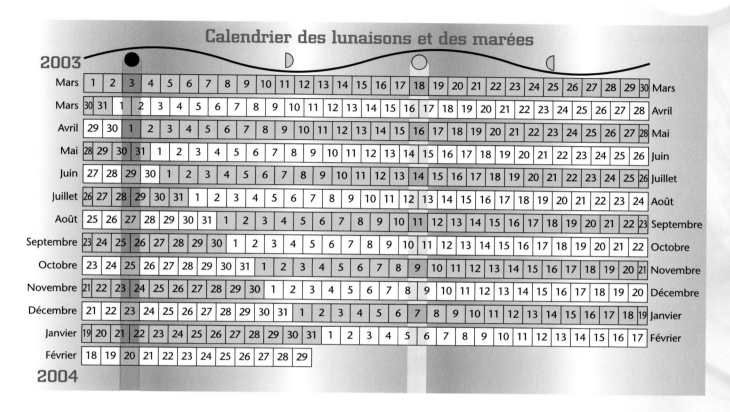

Calendrier des lunaisons et des marées

Mandat proposé

Expliquer le fonctionnement du calendrier des lunaisons et des marées.

PISTES D'EXPLORATION...

- Quelles relations existe-t-il entre le cycle lunaire et le cycle des marées ?

- Quelles significations particulières ont les couleurs, les dégradés et la courbe que tu vois sur le calendrier ci-dessus ?

Consulte des sources variées afin de rassembler le plus d'informations possible et de te faire une bonne idée du phénomène étudié.

Bilan du projet : Les événements cycliques

Prépare un document où tu présenteras un rapport pour chacune des parties du projet. Assure-toi que tous tes rapports comprennent les éléments nécessaires.

Tu peux utiliser un logiciel de traitement de texte ou de présentation pour produire ton document.

SITUATION-PROBLÈME L'origine du jeu d'échecs

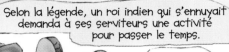

Selon la légende, un roi indien qui s'ennuyait demanda à ses serviteurs une activité pour passer le temps.

Je m'ennuie, je m'ennuie, je m'ennuie !

Quelques jours plus tard, un sage lui présenta un nouveau jeu : les échecs.

J'espère que ce nouveau jeu plaira à votre Majesté.

Dès la première partie, le roi se passionna pour ce jeu et s'y adonna sans cesse.

J'adore ce jeu !

Échec et mat, sire !

Il fit venir le sage et lui offrit la récompense de son choix.

Quelle récompense aimerais-tu que ton roi t'accorde pour te remercier ?

Je voudrais recevoir le nombre de grains de blé nécessaires pour remplir l'échiquier de la façon suivante : un grain sur la 1re case, deux sur la 2e case, quatre sur la 3e case, et ainsi de suite en doublant le nombre de grains à chacune des cases, jusqu'à la 64e case.

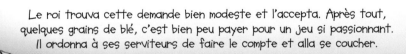

Le roi trouva cette demande bien modeste et l'accepta. Après tout, quelques grains de blé, c'est bien peu payer pour un jeu si passionnant. Il ordonna à ses serviteurs de faire le compte et alla se coucher.

Au cours de la nuit, le comptable du royaume réveilla d'urgence le roi. Pourquoi ?

PISTES D'EXPLORATION...

- As-tu représenté la situation à l'aide d'un schéma ?

- Quelle expression permet de calculer le nombre de grains de blé nécessaires pour remplir la 64e case ?

- Un silo à grains contient environ cinq milliards de grains de blé. Est-ce suffisant pour répondre à la demande du sage ?

Plusieurs historiens et historiennes s'entendent pour d[ire] que le jeu d'échecs est apparu en Inde dans les années 50[0]. Toutefois, l'identit[é] de la personne qui l'a inventé est inconnue.

Cette unité t'aidera à réaliser la partie 4 de ton projet.

PROJET

ACTIVITÉ

Le triangle de Pascal

En 1654, Blaise Pascal découvrit de nombreuses propriétés mathématiques relatives au triangle présenté ci-dessous, qu'on appelle le «triangle arithmétique». C'est en l'honneur de ses travaux qu'on parle maintenant du triangle de Pascal.

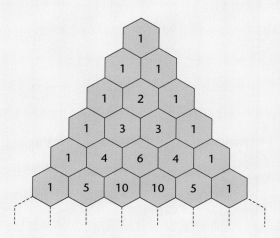

Blaise Pascal
(1623-1662)
Philosophe et
mathématicien
français

a. Ajoute les quatre lignes suivantes du triangle de Pascal.

b. 1) Calcule, ligne par ligne, la somme des nombres que contiennent les 10 premières lignes du triangle de Pascal.

2) Que représente la suite des 10 sommes obtenues?

3) Exprime en notation exponentielle la somme des nombres qui composent la 25e ligne du triangle de Pascal.

c. Considère maintenant chaque ligne du triangle de Pascal comme un seul nombre.

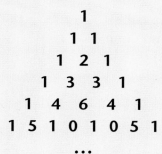

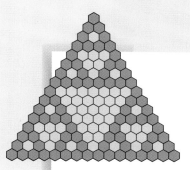

1) À partir de quelle ligne le nombre n'est-il plus un palindrome?

2) Quel lien peux-tu établir entre les cinq premières lignes du triangle de Pascal et les puissances de 11?

En coloriant tous les nombres impairs des 16 premières lignes du triangle de Pascal, on obtient une figure particulière qu'on nomme le triangle fractal de Sierpinski.

Notation exponentielle

L'**opération** qui consiste à multiplier un nombre par lui-même un certain nombre de fois s'appelle l'**exponentiation**. La notation exponentielle permet d'écrire le produit de plusieurs facteurs identiques sous une **forme abrégée**.

Ex. : $\underbrace{3 \times 3 \times 3 \times 3 \times 3}_{\substack{\text{Produit de} \\ \text{5 facteurs identiques}}} = \underbrace{3^5}_{\substack{\text{Notation} \\ \text{exponentielle}}}$

Dans l'expression $3^5 = 243$, la base est 3, l'exposant est 5 et la puissance est 243.
On dit que « 3 exposant 5 égale 243 », ou que « la 5ᵉ puissance de 3 est 243 ».

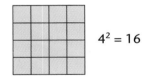

Base $\longrightarrow 3^5 = 243$

Exposant

Puissance

Soit n, un nombre naturel plus grand que 1. Dans l'expression a^n, l'exposant n indique le nombre de fois que la base a apparaît comme facteur dans un produit.

$$\underbrace{a \times a \times a \times ... \times a}_{n \text{ facteurs identiques}} = a^n$$

Les exposants 2 et 3

L'expression 4^2 se lit « **4 exposant 2** » ou « **4 au carré** », car on peut associer ce nombre à l'**aire d'un carré** dont la mesure du côté est de 4 unités. On dit que 16 est un carré parfait.

$4^2 = 16$

L'expression 4^3 se lit « **4 exposant 3** » ou « **4 au cube** », car on peut associer ce nombre au **volume d'un cube** dont la mesure d'une arête est de 4 unités. On dit que 64 est un cube parfait.

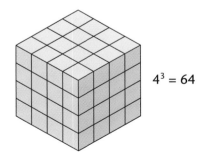

$4^3 = 64$

Les exposants 0 et 1

Les exposants 0 et 1 présentent certaines particularités. Pour n représentant un nombre, on a :

$n^1 = n$ Ex. : $7^1 = 7$

$n^0 = 1$ (si $n \neq 0$)   Ex. : $5^0 = 1$

0^0 n'est pas défini.

1. Écris chaque expression sous la forme d'un produit de facteurs identiques.

    a) 3^4 b) 8^7 c) 12 au carré

    d) 0^6 e) 14^5 f) 154 au cube

2. Remplace chaque produit par une expression utilisant la notation exponentielle.

    a) $9 \times 9 \times 9 \times 9$ b) $114 \times 114 \times 114$

    c) $61 \times 61 \times 7 \times 7 \times 7 \times 7$ d) $n \times n \times n \times n \times n \times n$

3. Observe les séquences ci-dessous.

Séquence 1		Séquence 2		Séquence 3	
$3^4 = 81$	÷ ?	$4^4 = 256$	÷ ?	$5^4 = 625$	÷ ?
$3^3 = 27$	÷ ?	$4^3 = 64$	÷ ?	$5^3 = 125$	÷ ?
$3^2 = 9$	÷ ?	$4^2 = 16$	÷ ?	$5^2 = 25$	÷ ?
$3^1 = $ ▮	÷ ?	$4^1 = $ ▮	÷ ?	$5^1 = $ ▮	÷ ?
$3^0 = $ ▮		$4^0 = $ ▮		$5^0 = $ ▮	

    a) Détermine le nombre par lequel il faut diviser la puissance inscrite sur une ligne pour obtenir la puissance de la ligne suivante.

    b) Complète les deux dernières lignes en conservant la régularité.

    c) Quelle est la puissance :

        1) d'une base affectée de l'exposant 1 ?

        2) d'une base non nulle affectée de l'exposant 0 ?

4. Calcule la valeur des expressions suivantes.

    a) 10^2 b) 5^4 c) 20^2 d) 4^3 e) 1^5

    f) 2^8 g) 0^5 h) 14^3 i) 7^1 j) 8^0

5. Écris les expressions suivantes à l'aide de la notation exponentielle et calcule leur résultat.

    a) 8 exposant 3 ;   b) 13 au carré ;

    c) La 6e puissance de 3 ;   d) 4 au cube.

6. Plutôt que d'effectuer les multiplications dans l'ordre habituel (de gauche à droite) pour calculer 2^6, Kim propose la stratégie suivante :

$$2^6 = 2 \times 2 \times 2 \times 2 \times 2 \times 2 = (2 \times 2 \times 2) \times (2 \times 2 \times 2) = 8 \times 8 = 64$$

a) Kim exploite l'une des propriétés de la multiplication. Laquelle ?

b) Calcule mentalement 3^4 en utilisant cette stratégie.

7. HISTOIRE Le papyrus de Rhind comprend une liste de plusieurs problèmes. Voici l'énoncé du 79ᵉ problème :

> *Sept maisons abritent chacune sept chats.*
> *Chacun d'eux tue sept souris.*
> *Chaque souris avait mangé sept épis de blé.*
> *Chaque épi de blé aurait produit*
> *sept boisseaux de farine.*

Le boisseau est un ancien instrument de bois qu'on utilisait pour mesurer les aliments secs comme les noix, les céréales, les légumes, etc.

Si les souris n'avaient pas mangé les épis de blé, combien de boisseaux de farine aurait-on pu produire ?

8. Estime la valeur de chacune des expressions suivantes en arrondissant la base à sa plus grande position.

Ex. : $29^2 \approx 30^2 = 30 \times 30 = 900$

a) 11^4 b) 51^2 c) 98^2

d) 31^3 e) 19^3 f) 201^2

9. a) Complète les séquences ci-contre.

b) Quelle est la puissance de :

1) la base 1 affectée de n'importe quel exposant ?

2) la base 0 affectée de n'importe quel exposant naturel non nul ?

Séquence 1	Séquence 2
$1^0 = \blacksquare$	0^0 n'est pas défini.
$1^1 = \blacksquare$	$0^1 = \blacksquare$
$1^2 = 1 \times 1 = 1$	$0^2 = 0 \times 0 = 0$
$1^3 = 1 \times 1 \times 1 = 1$	$0^3 = 0 \times 0 \times 0 = 0$
$1^4 = \blacksquare = \blacksquare$	$0^4 = \blacksquare = \blacksquare$

10. Quels sont les nombres naturels inférieurs à 100 qui sont à la fois des carrés parfaits et des cubes parfaits ?

11. On plie une corde en deux, à trois reprises, puis on coupe les extrémités.

   a) Combien de bouts de corde obtient-on?

   b) Combien de fois doit-on plier la corde pour obtenir 32 bouts?

12. Explique pourquoi les énoncés suivants sont faux.

   a) $2^3 = 2 \times 3$
   b) $5^0 = 5 \times 0$
   c) $8^1 - 8^0 = 8$
   d) $3^8 \div 3^2 = 3^4$

13. Dans chaque cas, quelle est la valeur manquante?

   a) $8^2 = $ ▬▬
   b) $5^3 = $ ▬▬
   c) $15^0 = $ ▬▬

   d) $9^{▬} = 81$
   e) $6^{▬} = 1296$
   f) $12^{▬} = 1$

   g) $▬^2 = 49$
   h) $▬^3 = 27$
   i) $▬^1 = 32$

14. a) Reproduis ce tableau des puissances de 10 et remplis-le.

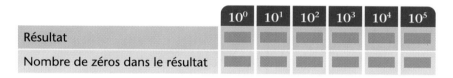

	10^0	10^1	10^2	10^3	10^4	10^5
Résultat						
Nombre de zéros dans le résultat						

   b) Quel lien peux-tu établir entre l'exposant de la base 10 et le nombre de zéros que comporte le résultat?

   c) Écris en notation exponentielle l'expression qui correspond :

   1) au chiffre 1 suivi de 8 zéros;

   2) au chiffre 1 suivi de 188 zéros.

   d) Combien de zéros le résultat de l'expression 10^n compte-t-il?

15. Explique comment tu peux utiliser la première expression pour calculer mentalement la seconde.

   a) Utiliser 4^2 pour calculer 40^2;
   b) Utiliser 5^2 pour calculer 500^2.

16. Plusieurs touches d'une calculatrice scientifique exploitent l'exponentiation.

   a) Selon le modèle de ta calculatrice, décris la façon d'employer ces touches et explique leur utilité.

   1) $\boxed{x^2}$
   2) $\boxed{10^x}$
   3) $\boxed{x^y}$ ou $\boxed{y^x}$ ou $\boxed{a^x}$ ou $\boxed{a^n}$ ou $\boxed{\wedge}$

   b) Parmi ces touches, laquelle est la plus polyvalente? Explique ta réponse.

   c) Sans utiliser la touche $\boxed{\times}$ de ta calculatrice, évalue les expressions suivantes.

   1) 14^5
   2) 8^7
   3) 4^{11}

17. Dans chaque cas, compare les deux expressions en utilisant les symboles
< , > ou =.

a) 5^2 ■ 2^5

b) 6^0 ■ 0^6

c) 100^1 ■ 1^{100}

d) 4^5 ■ 200

e) 9^2 ■ 3^4

f) 2^3 ■ 6

18. Un emballage de fromage contient 4 paquets de 4 enveloppes de 4 tranches de fromage. Combien de tranches de fromage y a-t-il dans 4 emballages ?

19. Est-ce que 2^{99} est pair ou impair ? Explique ta réponse.

20. Les illustrations ci-dessous représentent des nombres qui sont des cubes parfaits. Dans chaque cas, écris le nombre en notation exponentielle et donne la puissance correspondante.

a)

b)

c)

21. Pour simplifier l'écriture de la forme développée d'un nombre, on peut utiliser la notation exponentielle. Détermine le nombre représenté par chacune de ces expressions.

a) $5 \times 10^2 + 6 \times 10^1 + 8 \times 10^0$

b) $1 \times 10^5 + 5 \times 10^2 + 2 \times 10^1$

c) $9 \times 10^6 + 6 \times 10^3 + 4 \times 10^2 + 5 \times 10^1 + 2 \times 10^0$

René Descartes
(1596-1650)

Philosophe et mathématicien français du 17ᵉ siècle. On lui doit la notation exponentielle.

22. Écris les nombres suivants sous la forme développée en utilisant la notation exponentielle.

a) 815

b) 5 010 048

c) 1007

d) 560 000 000 000

23. MONNAIE Une pièce de 10 ¢ est composée d'acier, de cuivre et de nickel. On estime à 10 000 000 000 000 000 000 000 le nombre d'atomes contenus dans cette pièce. Suggère une façon plus simple d'écrire ce nombre d'atomes.

24. À l'aide de la notation exponentielle, écris le nombre 64 de quatre façons différentes.

25. **a)** On a calculé ci-contre le carré de 7, de 67 et de 667. À l'aide des résultats obtenus, prédis les résultats de :

1) 6667^2 2) $66\,667^2$

7^2	49
67^2	4489
667^2	444889
6667^2	

b) 1) À l'aide de la calculatrice, calcule le carré de ces nombres : 1, 11, 111 et 1111.

2) Sans faire de calcul, prédis le résultat de l'expression $111\,111^2$.

26. Quel est le plus grand nombre que tu peux créer en utilisant une seule opération et uniquement :

a) le chiffre 2 à trois reprises ?   **b)** le chiffre 1 à trois reprises ?

27. Si on plie une feuille de papier en deux, plusieurs fois de suite, le nombre d'épaisseurs de feuille augmente rapidement.

a) Reproduis le tableau ci-dessous et remplis-le.

Pliage d'une feuille

Nombre de pliages	0	1	2	3	4	5	6	7
Nombre d'épaisseurs de feuille								

b) 1) Estime l'épaisseur de papier après avoir plié une feuille en deux, six fois de suite.

2) Combien de fois de suite devrais-tu plier une feuille pour que l'épaisseur de papier soit supérieure à ta taille ?

ZOOM

1 Explique pourquoi chacune des expressions suivantes est vraie ou fausse.

a) (nombre naturel)^2 = (nombre pair)   **b)** (nombre naturel)^3 = (nombre impair)

c) $2^{(\text{nombre naturel})}$ = (nombre pair)   **d)** $3^{(\text{nombre naturel})}$ = (nombre impair)

2 L'exponentiation est-elle une opération commutative ? Par exemple, si a et b représentent des nombres, est-ce que $a^b = b^a$? Explique ta réponse.

Unité 2.2 · Un partage sans reste

PROJET

Cette unité t'aidera à réaliser les parties 2, 3 et 4 de ton projet.

ACTIVITÉ 1 **Une question de divisibilité**

En mathématique, on utilise souvent du matériel pour représenter les nombres.

a. Quel est le nombre *n* représenté par le matériel ci-contre?

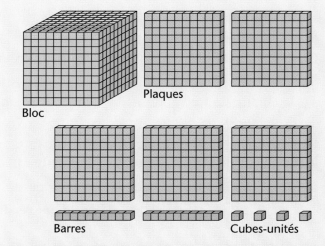

Bloc

Plaques

Barres

Cubes-unités

b. Indique si les nombres représentés par les objets suivants sont divisibles, sans reste, par 2, 5 et 10.

1) Un bloc   2) Une plaque   3) Une barre   4) Un cube-unité

c. Peux-tu diviser, sans reste, le nombre *n* par :

1) 2?   2) 5?   3) 10?

d. Explique comment déterminer rapidement si un nombre est divisible par :

1) 2   2) 5   3) 10

e. Combien de cubes-unités reste-t-il si tu partages chacun des objets suivants en trois parties égales?

1) Un bloc   2) Une plaque   3) Une barre

f. Combien de cubes-unités reste-t-il, en tout, si tu partages chaque objet qui compose le nombre *n* en trois parties égales?

g. Peux-tu partager les cubes-unités qu'il te reste en trois parties égales?

h. Peux-tu diviser le nombre *n* par 3?

i. Explique comment déterminer rapidement si un nombre est divisible par 3.

j. Indique si les nombres représentés par les objets suivants sont divisibles, sans reste, par 4.

1) Un bloc   2) Une plaque   3) Une barre   4) Un cube-unité

k. Peux-tu diviser, sans reste, le nombre *n* par 4?

l. Explique comment déterminer rapidement si un nombre est divisible par 4.

m. Reproduis le tableau ci-contre et indique, par un X, si les nombres sont divisibles par 2, 3 et 6.

n. Explique comment déterminer rapidement si un nombre est divisible par 6.

	2	3	6
4362			
2524			
840			
566			

o. Compare avec celles d'autres élèves tes découvertes sur la façon de savoir rapidement si un nombre est divisible par 2, 3, 4, 5, 6 et 10.

ACTIVITÉ 2 — Jouons avec les nombres!

■ Ce jeu se joue en équipes de trois élèves.

■ Chacun ou chacune reproduit le tableau ci-dessous sur une feuille.

■ La première personne qui joue lance les quatre dés. En utilisant les résultats qui apparaissent sur la face supérieure de chaque dé, elle doit former un nombre de quatre chiffres qui se divise par 2, 3, 4, 5 ou 6 sans effectuer de calcul écrit.

■ Elle inscrit ce nombre à un seul endroit dans son tableau. Une fois le nombre écrit sur la feuille, on ne peut plus le changer de place. Les autres joueurs et joueuses vérifient la réponse.

■ La deuxième personne lance les dés à son tour, inscrit un nombre dans son tableau, et le jeu se poursuit ainsi. S'il n'est pas possible d'inscrire un nombre dans le tableau, on passe les dés au joueur suivant ou à la joueuse suivante.

■ Le but du jeu est de remplir toutes les cases de son tableau à l'aide du plus petit nombre de lancers.

Diviseur	Nombre obtenu avec les dés
2	
3	
4	
5	
6	

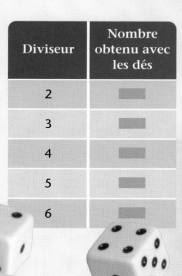

ACTIVITÉ 3 — Le crible d'Ératosthène

Il y a plus de 2000 ans, Ératosthène imagina un moyen simple de trouver des nombres qui ont toujours intrigué les mathématiciens et les mathématiciennes, tant hier qu'aujourd'hui.

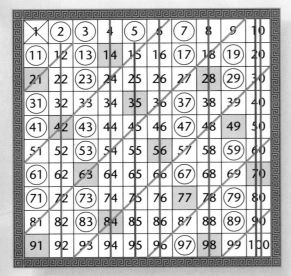

Ératosthène
(v. 276-v. 194 av. J.-C.)

Mathématicien, astronome, géographe et poète grec.

Avec un crible de 10 sur 10, Ératosthène procédait ainsi :

- il rayait le 1 ;

- il entourait le prochain nombre qui n'était pas rayé (2) et rayait tous ses multiples jusqu'à la fin du crible ;

- il poursuivait de la même manière : il entourait le prochain nombre non rayé (3) et rayait tous ses multiples jusqu'à la fin du crible ;

- tous les nombres non rayés étaient les nombres recherchés.

a. Comment appelle-t-on les nombres mystérieux que le crible d'Ératosthène permet de mettre en évidence ?

b. Pourquoi Ératosthène éliminait-il le 1 ?

c. Dans son procédé, Ératosthène n'allait pas au-delà du nombre 10. Explique pourquoi il était inutile de poursuivre au-delà de ce nombre.

d. Que représentent les nombres :

1) rayés d'un trait vert ? 2) rayés d'un trait rouge ?

3) rayés d'un trait bleu ? 4) dont le fond est jaune ?

e. À l'aide du crible d'Ératosthène, relève tous les nombres composés inférieurs à 100 divisibles à la fois par 2, 3 et 7.

f. À l'aide du crible d'Ératosthène, écris le nombre :

1) 60 sous la forme d'une multiplication de deux facteurs ;

2) 84 sous la forme d'une factorisation première.

Calepin des savoirs

Caractères de divisibilité

Un nombre est divisible par	
2	si le chiffre des unités est un nombre pair.
3	si la somme de ses chiffres est divisible par 3.
4	si le nombre formé par les deux derniers chiffres est divisible par 4.
5	si le chiffre des unités est 0 ou 5.
6	s'il est divisible par 2 **et** 3.
9	si la somme de ses chiffres est divisible par 9.
10	si le dernier chiffre est 0.
12	s'il est divisible par 3 **et** 4.
25	si le nombre formé par les deux derniers chiffres est divisible par 25.

Nombre premier et nombre composé

• Un **nombre premier** a exactement **deux diviseurs**.

> Ex. : 17 est un nombre premier, car ses diviseurs sont 1 et 17.

Le nombre **1** n'est **pas premier** puisqu'il n'a qu'un seul diviseur.

• Un **nombre composé** a **plus de deux diviseurs**.

> Ex. : 24 est un nombre composé, car ses diviseurs sont 1, 2, 3, 4, 6, 8, 12 et 24.

Factorisation

La **factorisation d'un nombre** est son écriture sous la forme d'une **multiplication de facteurs**.

> Ex. : 1) 2×12 et $2 \times 3 \times 4$ sont des factorisations de 24.
>
> 2) 30×10 et $3 \times 4 \times 5 \times 5$ sont des factorisations de 300.

Factorisation première

La **factorisation première** ou la **décomposition en facteurs premiers d'un nombre** est son écriture sous la forme d'une **multiplication de facteurs premiers**. La factorisation première d'un nombre est **unique**.

> Ex. : 1) La factorisation première de 24 est $2 \times 2 \times 2 \times 3$ ou $2^3 \times 3$.
>
> 2) La factorisation première de 300 est $2 \times 2 \times 3 \times 5 \times 5$ ou $2^2 \times 3 \times 5^2$.

Unité 2.2   77

1. Détermine mentalement si les nombres suivants sont divisibles par 3.

   a) 6545   b) 987 654   c) 6872   d) 97 831   e) 100 875

2. Dresse la liste de tous les diviseurs de chacun des nombres suivants.

   a) 36   b) 60   c) 75   d) 90   e) 100

3. Indique si les nombres suivants sont des nombres premiers ou des nombres composés.

   a) 39   b) 53   c) 87   d) 103   e) 155

4. Indique si 6 est un diviseur de :

   a) 256   b) 426   c) 658   d) 816   e) 1036

5. Avec les chiffres 0, 2 et 5, compose un nombre de trois chiffres divisible à la fois par 4 et 5.

6. Détermine la valeur du symbole ♣ pour que le nombre 45 67♣ soit divisible à la fois par 4 et 6.

7. Explique pourquoi l'expression $2 \times 3 \times 4 \times 11$ n'est pas une factorisation première.

8. Il y a 240 jeunes qui fréquentent un camp de jour. Reproduis le tableau suivant et, en cochant la case appropriée, indique si tous les jeunes peuvent être regroupés pour cette activité.

Activités	Oui	Non
Basket-ball : 10 personnes	▦	▦
Corde à danser : 3 personnes	▦	▦
Échecs : 2 personnes	▦	▦
Kin-ball : 12 personnes	▦	▦
Tennis en double : 4 personnes	▦	▦
Tournoi de jeux vidéo : 9 personnes	▦	▦

9. Écris tous les nombres premiers compris entre 50 et 100.

10. Quel nombre correspond à la factorisation première $2^3 \times 3^2 \times 5$?

11. Écris la factorisation première des nombres suivants à l'aide de la notation exponentielle.

   a) 640   b) 120   c) 444

12. Pourquoi les multiples de 3 supérieurs à 3 ne sont-ils pas des nombres premiers?

13. a) Donne quatre factorisations possibles du nombre 120.

   b) Combien y a-t-il de factorisations premières possibles du nombre 120?

14. Quel est le plus grand nombre naturel composé de quatre chiffres différents qui est divisible par 3 mais non par 2 ni 5?

15. Quel est le plus petit nombre naturel composé de quatre chiffres différents qui est divisible par 2, 3 et 10?

16. En te basant respectivement sur les caractères de divisibilité par 3, 4 et 6, explique les caractères de divisibilité par:

   a) 9   b) 25   c) 12

17. Reproduis le tableau suivant et indique, par un X, si les nombres donnés sont divisibles par 2, 3, 4, 5, 6, 9, 10, 12 et 25.

	2	3	4	5	6	9	10	12	25
426									
19 575									
4 716									
640									

18. Anne-Philippe affirme qu'un nombre n'est divisible par 10 que si le chiffre des unités est 0. Mary-Maxime lui répond qu'un nombre est divisible par 10 s'il est à la fois divisible par 2 et 5. Qui a raison? Explique pourquoi.

19. Écris le nombre 100:

   a) sous la forme d'un produit de deux facteurs identiques;

   b) sous la forme d'un produit de deux facteurs différents;

   c) sous la forme d'un produit de trois facteurs différents;

   d) sous la forme d'une factorisation première à l'aide de la notation exponentielle.

20. Soit les quatre affirmations suivantes :

- Un nombre est divisible par 4 s'il est divisible deux fois par 2.
- Un nombre est divisible par 6 s'il est divisible à la fois par 2 et 3.
- Un nombre est divisible par 8 s'il est divisible trois fois par 2.
- Un nombre est divisible par 12 s'il est divisible par 3 et deux fois par 2.

Sur quelle notion mathématique s'appuie-t-on pour faire ces affirmations ?

21. On regroupe les employés et les employées de trois entreprises pour un banquet. Les responsables de ces entreprises doivent décider du nombre de personnes qu'il y aura par table, de sorte qu'il n'y ait pas de place libre.

Je peux séparer mon groupe en tables de 3 ou 5 personnes.

Pour ma part, je peux séparer mon groupe en tables de 2, de 3, de 4, de 6 ou 9 personnes.

En ce qui concerne mon entreprise, les tables peuvent être de 2, de 3, de 4, de 5, de 6, de 10 ou 12 personnes.

Si les membres du personnel de ces trois entreprises sont regroupés, on peut faire des tables de 9 personnes.

Combien y a-t-il de personnes dans chaque entreprise si leur nombre est supérieur à 200 et inférieur à 250, et qu'aucune de ces entreprises n'emploie le même nombre de personnes ?

ZOOM

1 Est-ce que l'expression $2^5 \times 3^2 \times 5^4 \times 7$ est divisible par 7 ? Explique ta réponse sans effectuer le calcul.

2 De quelle façon peux-tu utiliser la mise en évidence simple pour montrer que l'expression $14 \times 3000 + 14 \times 280$ est divisible par 3280 ?

3 Est-ce que l'expression $11 \times 215 + 3$ est divisible par 11 ? Explique ta réponse sans effectuer le calcul.

4 Combien existe-t-il de nombres premiers pairs ?

Unité 2.3 — Qu'ont-ils en commun ?

PROJET
Cette unité t'aidera à réaliser la partie 4 de ton projet.

SITUATION-PROBLÈME ① Couper la réglisse

Dans une confiserie, la grande réglisse noire d'une longueur de 162 mm se vend 10 ¢ l'unité et la grande réglisse rouge d'une longueur de 270 mm se vend 15 ¢ l'unité.

La confiserie offre aussi de petites réglisses en paquet.

Pour fabriquer ces petites réglisses, on utilise une machine qui coupe automatiquement les grandes réglisses.

Toutes les petites réglisses, noires et rouges, doivent être de la même longueur et les plus longues possible. Il ne doit y avoir aucune perte.

La réglisse est une plante utilisée autant en pharmacie, comme adoucissant, qu'en confiserie pour parfumer les bonbons.

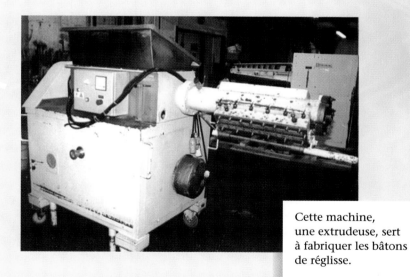

Cette machine, une extrudeuse, sert à fabriquer les bâtons de réglisse.

Comment doit-on régler la machine ?

PISTES D'EXPLORATION...

- As-tu dégagé les données pertinentes des données superflues ?
- As-tu représenté la situation par un dessin ?

Le système mécanique ci-dessous est formé de deux roues.
La petite roue fait un tour en 210 s et la grande roue, en 252 s.
Chaque roue comporte une ouverture.

Après avoir aligné les deux ouvertures et allumé une chandelle au centre,
on actionne le système, puis on ouvre le robinet situé au-dessus des roues.

Position initiale des roues

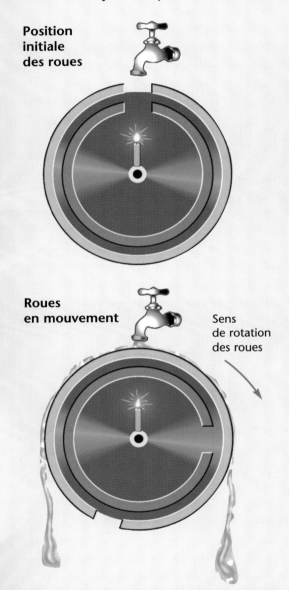

Roues en mouvement

Sens de rotation des roues

La flamme qui ne s'éteint pas!

Tous les deux ans, c'est un miroir parabolique et les rayons du soleil qui servent à allumer la torche olympique. Elle parcourra le globe, d'Olympie, en Grèce, jusqu'à la ville hôte des jeux. Le combustible, un mélange de butane et de propane, crée une flamme qui résiste aux intempéries.

Pendant combien de temps les roues tourneront-elles avant que le jet d'eau éteigne la flamme?

PISTES D'EXPLORATION...

- As-tu reformulé la situation dans tes mots?
- As-tu représenté par un dessin la position finale des roues?

Le même outil

Il arrive, en mathématique, que l'on puisse résoudre deux problèmes complètement différents à l'aide de la même méthode.

Voici un manuscrit des notes personnelles d'un mathématicien. Même s'il est abîmé et incomplet, ce manuscrit donne une bonne idée de la façon de résoudre deux problèmes différents à l'aide de la même méthode.

> Je savais depuis longtemps comment calculer le plus grand commun diviseur et le plus petit commun multiple de deux nombres. Mais ce n'est qu'hier que j'ai découvert une méthode visuelle me permettant de résoudre ces deux problèmes d'un seul coup.
>
> Exemple :
>
> 1) Quel est le PGCD (84, 630)?
>
> 2) Quel est le PPCM (84, 630)?
>
> On fait d'abord la factorisation première de 84 et celle de 630, puis on place les facteurs premiers dans un schéma.
>
> Facteurs premiers dont le produit est 84.
>
>
>
> Facteurs premiers dont le produit est 630.

a. Dans le manuscrit du mathématicien, quelle est la signification de :

   1) PGCD (84, 630)?   2) PPCM (84, 630)?

b. Complète le schéma du manuscrit à l'aide des informations qui y sont fournies.

c. Dans le manuscrit, qu'ont de particulier les facteurs premiers qui apparaissent dans la partie centrale du schéma?

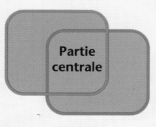

d. Quel est le plus grand commun diviseur de 84 et 630?

e. Quel est le plus petit commun multiple non nul de 84 et 630?

> Par définition, le plus petit commun multiple de plusieurs nombres ne peut pas être 0.

Calepin des **savoirs**

Plus grand commun diviseur et plus petit commun multiple

On peut utiliser la **factorisation première** pour déterminer le **plus grand commun diviseur** (PGCD) de deux ou de plusieurs nombres et le **plus petit commun multiple** (PPCM) de deux ou de plusieurs nombres. On prend ici comme exemples les nombres 126 et 270.

Schéma du PGCD et du PPCM

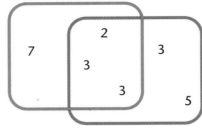

Facteurs premiers dont le produit est 126.

Facteurs premiers dont le produit est 270.

Le PGCD (126, 270) correspond au produit des facteurs premiers de la partie centrale du schéma : $2 \times 3 \times 3 = 2 \times 3^2 = 18$.

Le PPCM (126, 270) correspond au produit de tous les facteurs premiers dans le schéma : $2 \times 3 \times 3 \times 3 \times 5 \times 7 = 2 \times 3^3 \times 5 \times 7 = 1890$.

On dit que deux ou plusieurs nombres sont **premiers entre eux** si leur **PGCD est 1**.

Ex. : Les nombres 5, 12 et 17 sont premiers entre eux car leur PGCD est 1.

1. Détermine le plus grand commun diviseur de :

a) 12 et 18   b) 13 et 26   c) 20 et 70   d) 75 et 125

2. Énumère les multiples :

a) de 3 compris entre 0 et 20;   b) de 12 compris entre 0 et 50.

3. Détermine le plus petit commun multiple de :

a) 4 et 5   b) 10 et 15   c) 8 et 12

d) 6 et 9   e) 4 et 6   f) 9 et 27

4. Chacun de ces schémas permet de calculer le PGCD et le PPCM de deux nombres. Quels sont ces nombres?

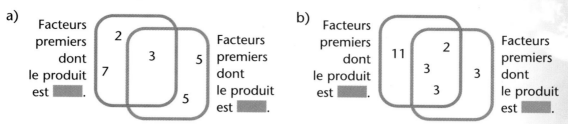

a) Facteurs premiers dont le produit est ████. / Facteurs premiers dont le produit est ████.

b) Facteurs premiers dont le produit est ████. / Facteurs premiers dont le produit est ████.

5. Observe les deux schémas ci-dessous.

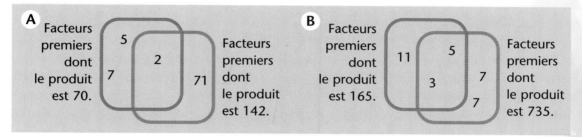

A Facteurs premiers dont le produit est 70. / Facteurs premiers dont le produit est 142.

B Facteurs premiers dont le produit est 165. / Facteurs premiers dont le produit est 735.

a) Quel est le plus grand commun diviseur de :

1) 70 et 142 ?   2) 165 et 735 ?

b) Quel est le plus petit commun multiple de :

1) 70 et 142 ?   2) 165 et 735 ?

6. Voici quelques paires de nombres.

A 5 et 20   B 3 et 9   C 6 et 30

a) Dans chaque cas, détermine :

1) le plus grand commun diviseur;   2) le plus petit commun multiple.

b) Que remarques-tu? Explique pourquoi cela fonctionne ici.

7. Il existe plusieurs façons de calculer le plus grand commun diviseur de deux nombres. On peut, par exemple, dresser la liste des diviseurs des deux nombres, ici 84 et 210, puis les comparer.

Les facteurs de 84 sont : 1, 2, 3, 4, 6, 7, 12, 14, 21, 28, 42 et 84.
Les facteurs de 210 sont : 1, 2, 3, 5, 6, 7, 10, 14, 15, 21, 30, 35, 42, 70, 105 et 210.

a) Quel est le plus grand commun diviseur de 84 et 210 ?

b) Que penses-tu de l'efficacité de cette stratégie? Explique ta réponse.

8. Il existe plusieurs façons de calculer le plus petit commun multiple de deux nombres. On peut, par exemple, dresser la liste des multiples des deux nombres, ici 12 et 14, puis les comparer.

> Les multiples de 12 sont : 0, 12, 24, 36, 48, 60, 72, 84, 96, 108, 120, 132, 144, 156, 168, 180, ...
> Les multiples de 14 sont : 0, 14, 28, 42, 56, 70, 84, 98, 112, 126, 140, 154, 168, ...

a) Quel est le plus petit commun multiple de 12 et 14 ?

b) Que penses-tu de l'efficacité de cette stratégie ? Explique ta réponse.

9. Quel est le plus grand commun diviseur de :

a) 90 et 225 ?
b) 124 et 136 ?
c) 252 et 360 ?

10. Quel est le plus petit commun multiple de :

a) 12 et 16 ?
b) 36 et 112 ?
c) 360 et 7560 ?

11. FAUTEUIL ROULANT Voici un fauteuil roulant à hautes performances. Au départ, on place les roues de manière à ce que les valves pour gonfler les pneus soient le plus près possible du sol. La circonférence d'une roue avant est de 180 cm et celle d'une roue arrière est de 225 cm.

Position des roues au départ

Valves

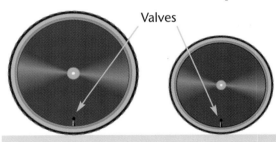

À la fois rigide et léger, le carbone est souvent utilisé dans la fabrication des fauteuils roulants de course.

a) Lorsque la roue arrière fait un tour complet, combien de tours la roue avant effectue-t-elle ? Écris ta réponse à l'aide d'un nombre en notation décimale.

b) Quelle est la distance minimale que ce fauteuil roulant doit parcourir pour que les deux valves se trouvent de nouveau le plus près possible du sol en même temps ?

12. Détermine le plus grand commun diviseur et le plus petit commun multiple de chacune des paires de nombres suivantes.

a) 48 et 136
b) 132 et 154
c) 195 et 312

13. Les nombres ci-dessous sont-ils premiers entre eux ?

a) 21 et 81
b) 27 et 64
c) 33, 34 et 35

14. TRANSPORT EN COMMUN La station de métro Berri-UQAM est la plus achalandée de toutes les stations de métro du réseau souterrain de la région de Montréal. Cela s'explique par le fait qu'elle est la seule à desservir trois lignes différentes. Ces lignes sont désignées par des couleurs : orange, jaune et verte.

La semaine, en milieu de journée, la station de métro Berri-UQAM accueille une rame toutes les :

- 420 s sur la ligne orange;
- 600 s sur la ligne jaune;
- 420 s sur la ligne verte.

Si à 12:00 des rames arrivent en même temps sur chacune des trois lignes de la station de métro Berri-UQAM, à quelle heure cela se reproduira-t-il?

Les quatre stations de métro les plus achalandées en 2001 :
- Berri-UQAM : 10 887 250 personnes
- McGill : 10 874 264 personnes
- Henri-Bourassa : 8 172 803 personnes
- Longueuil : 7 027 422 personnes

15. Les énoncés suivants sont-ils vrais ou faux? Explique tes réponses.

a) Le plus grand commun diviseur de deux nombres pairs est toujours 2.

b) Deux nombres consécutifs sont toujours premiers entre eux.

c) PPCM (11, 22) = 33

d) PGCD (82, 92) > PGCD (5, 10)

16. Le plus grand commun diviseur de deux nombres est 12. L'un des deux nombres est 36.

a) Quel est l'autre nombre?

b) Compare ta démarche et ta réponse avec celles d'autres élèves. Que remarques-tu?

17. Le plus petit commun multiple de deux nombres est 140. L'un des deux nombres est 4.

a) Quel est l'autre nombre?

b) Compare ta démarche et ta réponse avec celles d'autres élèves. Que remarques-tu?

18. Julia dispose de 180 gommes à mâcher et de 240 suçons. Pour les distribuer à l'Halloween, elle les regroupe dans de petits sacs. Elle veut former le plus grand nombre de sacs possible ayant le même contenu en utilisant toutes les friandises.

a) Combien de sacs peut-elle former ?

b) Que trouve-t-on dans chaque sac ?

L'Halloween est une fête d'origine irlandaise. Elle se célèbre le 31 octobre. Au Moyen Âge, les druides celtiques croyaient aux sorcières et aux fantômes. Ils allumaient donc, à cette date, de grands feux afin d'éloigner les esprits maléfiques pour le reste de l'année.

19. On désire connaître le plus grand commun diviseur et le plus petit commun multiple de trois nombres.

a) Reproduis ce schéma et complète-le.

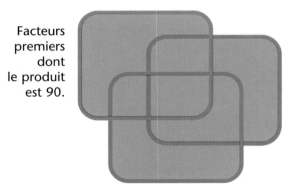

Facteurs premiers dont le produit est 90.

Facteurs premiers dont le produit est 198.

Facteurs premiers dont le produit est 210.

b) Quel est le plus grand commun diviseur de 90, 198 et 210 ?

c) Quel est le plus petit commun multiple de 90, 198 et 210 ?

20. Détermine le nombre correspondant au :

a) PGCD (36, 48, 54)

b) PPCM (12, 15, 24)

21. AÉROPORT Un grand aéroport offre des vols internationaux, nationaux et régionaux. Dans cet aéroport, les départs s'effectuent toujours à la même fréquence. Voici l'horaire des départs des avions.

numéro de vol	type	heure
136	régional	10:04
137	national	10:04
138	international	10:10
139	national	10:14
140	international	10:22
141	national	10:24
142	régional	10:34
143	national	10:34
144	international	10:34
145	national	10:44
146	international	10:46
147	national	10:54
148	international	10:58

Horaire des départs des avions

Détermine trois moments dans la journée où les trois types de départs ont lieu en même temps.

Les contrôleurs et les contrôleuses de la navigation aérienne travaillent dans la tour de contrôle d'un aéroport. Ces personnes gèrent le trafic aérien de l'aéroport en donnant des instructions aux pilotes relativement à la circulation des appareils, aux décollages et aux atterrissages.

1 Quelle caractéristique un nombre doit-il avoir pour que celui-ci et le nombre 2 soient premiers entre eux ?

2 a) Calcule le PGCD (145, 150).

b) Calcule le PPCM (145, 150).

c) Le nombre 21 750 est-il un multiple commun à 145 et 150 ? Explique ta réponse.

d) Soit a et b, deux nombres. Vérifie, à l'aide des nombres 145 et 150, que l'expression suivante est vraie.

$$a \times b \div \text{PGCD}\,(a, b) = \text{PPCM}\,(a, b)$$

3 Explique pourquoi le produit de deux nombres premiers n'est pas un nombre premier.

4 Pourquoi est-il sans intérêt de calculer :

a) le plus grand commun multiple de deux nombres ?

b) le plus petit commun diviseur de deux nombres ?

Unité 2.4 Pour éviter toute confusion

Cette unité t'aidera à réaliser les parties 1 et 2 de ton projet.

SITUATION-PROBLÈME Les codes à barres

Les livres comportent habituellement un code à barres de 13 chiffres. Pour déterminer si un code à barres est exact, le lecteur optique effectue un calcul comprenant les 13 chiffres et vérifie si la réponse est un nombre entier.
Voici le calcul à effectuer :

- *Faire la somme des chiffres des positions impaires ;*

- *ajouter à cette somme trois fois la somme des chiffres des positions paires ;*

- *diviser le tout par 10.*

Les codes à barres sont utilisés, entre autres, pour gérer l'inventaire dans les magasins, augmenter la rapidité du service aux caisses et diminuer les risques d'erreurs, identifier les prélèvements dans les hôpitaux, faire du tri automatique et gérer des bibliothèques.

9 782761 718929

Samuel doit programmer un lecteur optique. Il doit utiliser une chaîne d'opérations qui permet de trouver le quotient correspondant à n'importe quel code à barres de 13 chiffres.

Quelle chaîne d'opérations devra-t-il programmer ?

PISTES D'EXPLORATION...

- As-tu effectué les calculs de la chaîne d'opérations sur le code à barres de cette page pour vérifier si tu comprends bien la chaîne d'opérations que tu dois faire ?

- As-tu effectué les calculs correspondant à ta chaîne d'opérations sur le code à barres d'un de tes manuels ?

- As-tu fait vérifier ta chaîne d'opérations par une autre personne ?

Les piles de jetons

a. On a formé cinq piles de jetons. Combien de jetons dois-tu mettre dans la cinquième pile pour qu'il y ait, en moyenne, 15 jetons par pile?

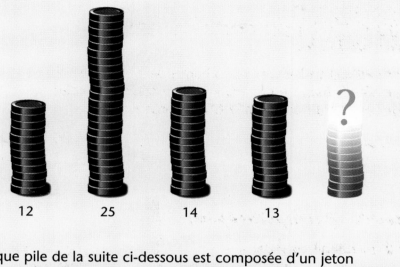

12   25   14   13

b. Chaque pile de la suite ci-dessous est composée d'un jeton de plus que la pile précédente. Combien de piles cette suite doit-elle contenir pour qu'on ait une moyenne de 6 jetons par pile?

 ...

c. Cinq piles comptent en moyenne 17 jetons. Donne trois combinaisons possibles de la quantité de jetons que les cinq piles peuvent contenir.

d. Quatre piles comptent en moyenne 15 jetons. Donne un exemple du nombre de jetons que pourrait contenir chacune des piles si:

1) aucune pile n'a 15 jetons;

2) la première pile est vide;

3) aucune pile n'a le même nombre de jetons;

4) trois piles sont vides.

La campagne de financement

Les 12 groupes d'une école secondaire ont
récolté des fonds pour les activités étudiantes.
Les membres du conseil doivent comptabiliser
et redistribuer l'argent également entre
les différents groupes. On présente ci-dessous
les sommes remises au conseil.

Fonds amassés

**1ᵉʳ cycle
du secondaire**

1ʳᵉ année

Groupe 11	400 $
Groupe 12	750 $
Groupe 13	200 $
Groupe 14	150 $

2ᵉ année

Groupe 21	250 $
Groupe 22	900 $
Groupe 23	700 $

**2ᵉ cycle
du secondaire**
1ʳᵉ année

Groupe 31	450 $
Groupe 32	700 $

2ᵉ année

Groupe 41	700 $
Groupe 42	650 $

3ᵉ année

Groupe 51	1350 $

a. Le conseil a effectué le calcul suivant à l'aide d'une calculatrice pour trouver
la somme d'argent à remettre à chaque groupe.

$$400 + 750 + 200 + 150 + 250 + 900 + 700 + 450 + 700 + 700 + 650 + 1350 \div 12 = 5962{,}50 \text{ \$}$$

Les membres du conseil sont perplexes, car la réponse obtenue n'a aucun sens.
Quelle correction doit être apportée à cette chaîne d'opérations afin d'obtenir
le résultat attendu ?

b. Combien d'argent le conseil doit-il remettre à chaque groupe ?

c. Cette somme correspond-elle à celle qui revient le plus souvent ?

d. Combien de groupes recevront :
   1) une somme identique à celle qu'ils avaient recueillie ?
   2) moins d'argent que ce qu'ils avaient amassé ?
   3) plus d'argent que ce qu'ils avaient amassé ?

e. Quelle est l'étendue de l'ensemble des montants d'argent amassés par les groupes ?

Le magasin scolaire

Pour éviter les erreurs et garder la trace de toutes les ventes effectuées dans le magasin scolaire d'une école, le conseil a décidé d'informatiser le système de facturation à l'aide d'un tableur. Voici les deux modèles possibles de factures.

Modèle 1

	A	B	C
1		Magasin scolaire	
2			
3	Quantité	Article	Coût unitaire
4			
5		Ciseaux	3,00 $
6		Crayon	1,00 $
7		Gomme à effacer	0,50 $
8		Ensemble de géométrie	5,00 $
9		Paquet de feuilles	4,00 $
10		Mines	1,50 $
11		Règle	2,00 $
12		Montant total de l'achat	
13		Paiement	
14		Monnaie à rendre	
15		Coût moyen par article	

Modèle 2

	A	B	C	D
1		Magasin scolaire		
2				
3	Article	Coût unitaire	Quantité	Total
4				
5	Ciseaux	3,00 $		
6	Crayon	1,00 $		
7	Gomme à effacer	0,50 $		
8	Ensemble de géométrie	5,00 $		
9	Paquet de feuilles	4,00 $		
10	Mines	1,50 $		
11	Règle	2,00 $		
12		Montant total de l'achat		
13		Paiement		
14		Monnaie à rendre		
15		Coût moyen par article		

Les élèves qui travailleront au magasin scolaire n'auront qu'à saisir la quantité d'articles et le paiement du client ou de la cliente, et la facture sera complétée automatiquement.

a. Dans le cas du modèle **1**, quelles formules devrait-on utiliser dans :

1) la cellule C12 ?

2) la cellule C14, sans utiliser la cellule C12 ?

3) la cellule C15 ?

b. Dans le cas du modèle **2**, quelles formules devrait-on utiliser dans :

1) les cellules de D5 à D11 ?

2) la cellule D12 ?

3) la cellule D14 ?

4) la cellule D15 ?

Pour écrire une formule dans un tableur, il faut ajouter le symbole d'égalité « = » au début de l'expression.
De plus, on ne laisse aucun espace entre les caractères.
Par exemple, pour faire la somme des contenus des cellules A2, B4 et C5, il faut écrire la formule suivante :
=A2+B4+C5.

Priorités des opérations

Afin d'éviter toute confusion, des priorités ont été établies dans l'ordre des opérations. Au besoin, on peut modifier cet ordre en utilisant des parenthèses. Les parenthèses indiquent alors les opérations qui doivent être effectuées en premier.

Lorsqu'on évalue une chaîne d'opérations, on effectue :	Une stratégie efficace pour effectuer une chaîne d'opérations consiste à effectuer une seule opération à la fois et à récrire le reste de l'expression.	
	Ex. 1) :	**Ex. 2) :**
1. les opérations entre parenthèses ;	$60 - 24 \div (9 - 5) \times 3^2 + 1$	$3 \times 2^3 - 5 \times (4 + 8) \div 10 - 7$
2. l'exponentiation ;	$= 60 - 24 \div 4 \times 3^2 + 1$	$= 3 \times 2^3 - 5 \times 12 \div 10 - 7$
3. les multiplications et les divisions, de gauche à droite ;	$= 60 - 24 \div 4 \times 9 + 1$ $= 60 - 6 \times 9 + 1$	$= 3 \times 8 - 5 \times 12 \div 10 - 7$ $= 24 - 5 \times 12 \div 10 - 7$ $= 24 - 60 \div 10 - 7$
4. les additions et les soustractions, de gauche à droite.	$= 60 - 54 + 1$ $= 6 + 1$	$= 24 - 6 - 7$ $= 18 - 7$
	$= 7$	$= 11$

Priorités des opérations

Chaînes d'opérations

Les chaînes d'opérations permettent d'écrire en une seule expression la suite des opérations à effectuer pour résoudre un problème. Il faut alors tenir compte des priorités des opérations et ajouter des parenthèses, au besoin.

Moyenne

En statistique, on utilise souvent des mesures afin d'analyser une situation. La **moyenne** est une mesure qui suggère l'idée d'une **répartition égale**.

> **Moyenne = (somme de toutes les données) ÷ (nombre total de données)**

Ex. : Pour calculer la moyenne de 2, 5, 6, 8 et 14, on effectue les calculs suivants :

$$(2 + 5 + 6 + 8 + 14) \div 5 = 35 \div 5 = 7 \quad \text{ou} \quad \frac{2 + 5 + 6 + 8 + 14}{5} = \frac{35}{5} = 7$$

La moyenne n'est pas nécessairement égale à une ou à plusieurs des données.

Il faut inclure les données égales à 0 dans le calcul de la moyenne.

1. Estime si la moyenne des nombres suivants est plus près de 10, 20 ou 30.

   a) 10, 19, 20, 23, 30

   b) 7, 9, 10, 11, 11, 13, 20

   c) 0, 0, 0, 0, 60

   d) 1, 10, 20, 100

2. Détermine mentalement le nombre moyen de feuilles que comportent ces piles.

   a)

   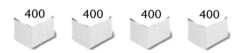

   b)

   c)

   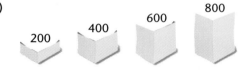

   d)

   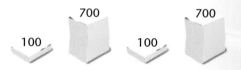

3. Estime le résultat de chacune des chaînes d'opérations suivantes.

   a) $53 + 12 \times 31$

   b) $(19 + 56 + 78) \times 9$

   c) $97^2 + 1^{15}$

   d) $200 - 12 \times 15$

   e) $103 - 62 \div 22$

   f) $(145 - 52) \times (78 - 39)$

4. On peut parfois simplifier un calcul en remplaçant une opération par deux opérations plus simples. C'est le cas de la multiplication par 5. Par exemple, il est plus facile d'effectuer mentalement $63 \times 10 \div 2 = 630 \div 2 = 315$ que de faire l'opération 63×5. Applique cette technique aux multiplications suivantes.

   a) 78×5

   b) 84×50

   c) 224×500

   d) 642×5

5. Associe chaque chaîne d'opérations à son résultat.

1	$3 + 4^0 \times 5$	A	99
2	$(3 + 2 \times 3)^2 + 9 \times 2$	B	468
3	$15 \div (19 - 7 \times 2)$	C	11
4	$(14 + 5 \times 6) \div (60 - 7 \times 8)$	D	8
5	$5 \times 6 \times 7 \times 2 + 6 \times 8$	E	447
6	$100 \div 5^2 \times 101 + 43$	F	3

6. a) Écris à l'aide du symbole «÷» la chaîne d'opérations suivante : $\dfrac{6^2 - 4^0}{12 - 7}$.

   b) Écris sans le symbole «÷» la chaîne d'opérations suivante : $12 + 5 - 4 \div 2$.

7. Calcule le résultat des chaînes d'opérations suivantes.

a) $12 \times 5 - 27 + 34$

b) $15 + 4 + 7 \times 9 - 8$

c) $(1 + 5 \times 2)^2 - 100 \div 4$

d) $\dfrac{4 + 6 + 7 \times 2}{7 \times 8 - 4 \times 11}$

e) $122 - \dfrac{12 \times 5}{2 + 6 \times 3}$

f) $8^2 \div 4^2 \times 5^2 - 2^5$

g) $(14 \times 67)^0 + 12 \times 16 \times 18 \times 0$

h) $(4 \times (8 - 5) \div 2 + 24) \div 10$

8. Dans chacun des cas, calcule la moyenne et l'étendue.

a) 12, 45, 32, 54, 31, 89, 28, 15, 38, 56

b) 45, 46, 47, 48, 49, 50, 51, 52, 53, 54, 55, 56, 57, 58, 59

c) 28, 54, 124, 47, 67, 29, 36

9. a) Laquelle des deux calculatrices ci-contre respecte les priorités des opérations?

b) Vérifie si ta calculatrice respecte les priorités des opérations en appuyant sur ⬛4 ➕ ⬛5 ✖ ⬛6 ⬛= .

Modèle 1

$4 + 5 \times 6 = 34$

Modèle 2

$4 + 5 \times 6 = 54$

10. À la sortie d'une boutique, on demande aux clients et aux clientes le montant total de leurs achats. Quelle est la somme moyenne dépensée par ces personnes?

11. Écris 48 à l'aide d'une chaîne d'opérations en utilisant une seule fois les nombres 3, 8 et 9.

12. Traduis toutes les étapes suivantes en une seule chaîne d'opérations.

a)
Étape 1 : $52 + 8 = 60$
Étape 2 : $60 \times 2 = 120$
Étape 3 : $120 - 80 = 40$

b)
Étape 1 : $12 \times 8 = 96$
Étape 2 : $96 - 76 = 20$
Étape 3 : $20^2 = 400$

13. Jocelyne achète trois paires de boucles d'oreilles à 6 $ chacune et deux paires à 4 $ chacune. Elle remet 30 $ au caissier. Si les taxes sont incluses dans les prix, détermine la chaîne d'opérations représentant la monnaie que le caissier doit lui rendre.

A $30 - 3 \times 6 + 2 \times 4$ **B** $(3 \times 6 + 2 \times 4) - 30$ **C** $30 - (3 \times 6 + 2 \times 4)$

14. Au Québec, le montant de la facture d'électricité varie beaucoup au cours d'une année. On présente ci-contre le relevé des coûts de la consommation d'électricité annuelle de la famille Fédorov. Cette famille décide de profiter du service de paiements mensuels égaux. Quel montant l'entreprise devra-t-elle lui facturer chaque mois?

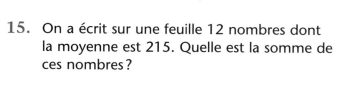

Mois	Coût ($)
Janv.	180
Févr.	150
Mars	130
Avril	80
Mai	60
Juin	50
Juill.	50
Août	60
Sept.	70
Oct.	100
Nov.	120
Déc.	150

Famille Fédorov

15. On a écrit sur une feuille 12 nombres dont la moyenne est 215. Quelle est la somme de ces nombres?

16. Dans une école de danse, 12 jeunes de 16 ans s'entraînent au hip-hop et 18 jeunes de 11 ans font de la danse classique. Quel est l'âge moyen de ces jeunes?

17. Ajoute des parenthèses aux bons endroits pour rendre l'égalité vraie.

a) $64 - 4 \times 12 + 4 = 12$ b) $3 \times 5 + 6 - 2 = 31$ c) $7 + 6 + 2^2 = 71$

18. Dans quels cas est-il possible de changer le résultat en ajoutant des parenthèses à la chaîne d'opérations? Discute avec des élèves pourquoi il en est ainsi.

A $38 + 8 + 2$	**B** $38 - 8 - 2$	**C** $38 \times 8 \times 2$	**D** $32 \div 8 \div 2$

19. Durant un festival de film, les 119 acteurs et actrices n'ont accordé chacun et chacune qu'un seul interview. Si chaque journaliste a fait, en moyenne, 17 interviews, combien de journalistes ont couvert cet événement?

20. Caroline est monitrice dans un camp de jour et elle doit former des équipes de trois personnes. Cependant elle doit respecter une consigne : dans chacun des groupes, la moyenne d'âge doit être de 10 ans. Aide Caroline à séparer les enfants en cinq groupes de trois personnes en suivant cette consigne.

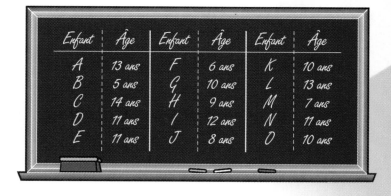

Enfant	Âge	Enfant	Âge	Enfant	Âge
A	13 ans	F	6 ans	K	10 ans
B	5 ans	G	10 ans	L	13 ans
C	14 ans	H	9 ans	M	7 ans
D	11 ans	I	12 ans	N	11 ans
E	11 ans	J	8 ans	O	10 ans

21. Émile suit des cours de piano. La première semaine du mois, il a répété ses leçons pendant 10 h. La deuxième semaine, pendant 7 h, et la troisième semaine, pendant 15 h. Pendant combien d'heures doit-il répéter ses leçons la quatrième semaine si son professeur lui suggère de les répéter, en moyenne, 10 h par semaine?

22. Lucie doit passer 4 examens qui sont corrigés sur 20 points. Après 3 examens, elle a une moyenne de 11 points. Combien Lucie doit-elle obtenir au dernier examen pour que sa moyenne globale soit de 12 points?

23. HORTICULTURE Écris une chaîne d'opérations permettant de calculer la hauteur moyenne des arbres suivants et donnes-en le résultat

- Deux peupliers d'Italie de 31 m chacun.
- Trois pittospores de 6 m chacun.
- Deux mimosas argentés de 3 m chacun.
- Un pin sylvestre de 40 m.
- Un chêne de 36 m.

Pour évaluer la hauteur d'un arbre, on s'en éloigne jusqu'à ce qu'on en aperçoive la cime entre ses jambes. On calcule alors la distance parcourue : la taille de l'arbre équivaut à peu près à cette distance.

24. Voici des diagrammes à bandes présentant les résultats des élèves à un examen de réanimation cardiorespiratoire.

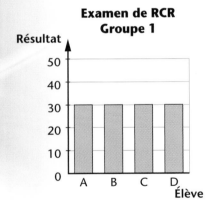

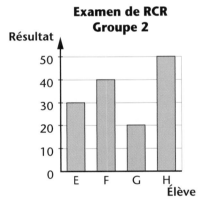

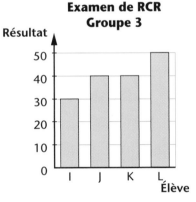

a) Place ces groupes dans l'ordre croissant, selon leur moyenne.

b) Quel groupe a la plus grande étendue?

25. MACHU PICCHU Marie-Andrée effectuera un voyage au Pérou. Il y a 6374 km qui séparent Montréal de Lima. Elle devra ensuite prendre un avion pour se rendre à Cuzco, ville située à 621 km de Lima. De là commence la randonnée de quelques jours permettant d'atteindre Machu Picchu, 43 km plus loin. Elle fera le même trajet pour revenir. Écris la chaîne d'opérations qui lui permettra de trouver la distance parcourue pendant son voyage et donnes-en le résultat.

Machu Picchu, la cité perdue des Incas, située à 2430 m d'altitude.

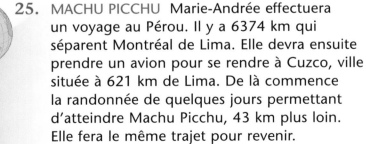

26. Dans chaque cas, compose un problème pouvant se résoudre à l'aide de la chaîne d'opérations proposée.

a) $(75 + 67 + 98 + 64 + 83) \div 5$

b) $500 - (50 \times 2 + 75 \times 3)$

27. Avec un tableur, on peut calculer la moyenne de différentes façons. La feuille de calcul ci-contre montre un tableau avec des nombres. Pour calculer la moyenne de ces nombres, on peut entrer dans la cellule B9 l'une des expressions suivantes :

	A	B
1		**Nombres**
2		119
3		154
4		539
5		84
6		1078
7		609
8		756
9	**Moyenne**	

- =(B2+B3+B4+B5+B6+B7+B8)/7
- =SOMME(B2:B8)/7
- =MOYENNE(B2:B8)

a) Quelle est la signification de (B2:B8)?

b) Calcule la moyenne de ces nombres.

Tu peux utiliser un tableur pour réaliser l'activité et vérifier que les trois expressions proposées donnent le même résultat.

28. Pour se rendre de Laval à Lévis, Tung Yu roule à une vitesse moyenne de 100 km/h. Au retour, il prend exactement le même chemin. Malheureusement, des travaux sur la route l'obligent à réduire sa vitesse à 60 km/h durant tout le voyage. Sans faire de calcul, Tung Yu affirme que sa vitesse moyenne pour le trajet aller-retour est de 80 km/h. Montre qu'il a tort, en déterminant la vitesse moyenne du trajet aller-retour.

La distance entre Laval et Lévis est d'environ 300 km.

ZOOM

1 Complète les énoncés suivants.

a) $23 \times (15 + 12) = 23 \times 15 + \rule{1cm}{0.2mm} \times 12$

b) $13 \times 5 + 13 \times 7 = 13 \times (\rule{1cm}{0.2mm} + 7)$

c) Quelle propriété des opérations as-tu utilisée pour répondre aux questions a) et b)?

2 La moyenne de cinq nombres naturels différents est 9. Quelle est la plus grande valeur possible pour un de ces nombres?

3 En n'utilisant que des chiffres 2 et 3 reliés par une seule opération (+, −, ×, ÷ ou exponentiation), quels sont les nombres que l'on ne peut pas former parmi 0, 1, 2, 3, 4, 5, 6, 7, 8 et 9?

Société des maths

Les débuts à la main

L'abaque à jetons fut l'un des premiers outils qui servirent à manipuler et à calculer de grands nombres. On déposait des jetons sur les lignes de l'abaque pour représenter un nombre et faire des calculs.

La mécanique à la rescousse

Au 17e siècle, avec le développement du commerce, de la navigation et de l'astronomie, les calculs devinrent de plus en plus nombreux et complexes. On développa donc, à cette époque, les premières machines mécaniques à calculer. Elles comportaient généralement plusieurs roulettes reliées entre elles que l'on tournait pour effectuer les opérations.

La machine à calculer de Wilhelm Schickard (1592-1635)

La *pascaline* de Blaise Pascal (1623-1662)

La machine de Leibniz (1646-1716)

L'utilisation d'un clavier

C'est vers 1880 que le «comptomètre», la première additionneuse à clavier, vit le jour. Plus tard, on l'améliora en y ajoutant un dispositif d'impression permettant de conserver la trace des calculs effectués. C'est en se fondant sur les travaux du Français Léon Bollée qu'on mit au point, dans les années 1890, des machines capables de réaliser automatiquement les quatre opérations.

Les machines à calculer

Les machines électroniques

Dans les années 1940, les premiers ordinateurs apparaissent. La technologie se développe à un rythme incroyable. Par exemple, en 1941, le calculateur Z3 pouvait réaliser quatre additions par seconde et une multiplication en quatre secondes ; cinq ans plus tard, l'ordinateur ENIAC effectuait 330 multiplications par seconde. En 1972, on pouvait se procurer, pour 800 $, la première calculatrice électronique de poche programmable.

Après ses études en mathématique, Kathleen McNulty (1921-) effectua pour l'armée américaine des calculs de trajectoires. Elle est l'une des seules femmes à avoir utilisé l'ENIAC. Elle s'en servait pour résoudre des problèmes mathématiques complexes. Elle est aujourd'hui reconnue pour l'avancement de la science informatique.

L'intérieur des machines électroniques

De nos jours, les calculatrices et les ordinateurs sont munis de petits circuits électroniques qui communiquent entre eux. Ces communications peuvent être interprétées à l'aide du système binaire. Ce système à base deux est une forme de représentation des nombres n'utilisant que deux symboles : 0 et 1.

À TOI DE JOUER

1. En combien de temps le calculateur Z3 effectuait-il cette chaîne d'opérations ?
$2 \times 3 + 4 + 1 + 7 + 5 \times 10$

2. Compte tenu des capacités de l'ordinateur ENIAC, que calculait-on avec la chaîne d'opérations $330 \times 60^2 \times 24$?

3. Écris ton âge à l'aide du système binaire.

À TOI DE CHERCHER

4. L'ordinateur ENIAC était énorme. Donne quelques-unes de ses caractéristiques pour illustrer ce fait.

5. a) Qu'est-ce qu'un *bit* ?
   b) Dans l'expression 1110100010100101, combien y a-t-il de bits ?

En base dix, la forme développée d'un nombre utilise des puissances de 10.
Par exemple, l'expression $7 \times 10^3 + 4 \times 10^2 + 2 \times 10^1 + 5 \times 10^0$ correspond au nombre 7425.

En base deux, la forme développée d'un nombre utilise des puissances de 2.
Par exemple, pour obtenir l'équivalent de 19 en base deux, on écrit :

$$1 \times 2^4 + 0 \times 2^3 + 0 \times 2^2 + 1 \times 2^1 + 1 \times 2^0 = 10011 \text{ (base deux)}.$$
$$16 + 0 + 0 + 2 + 1 = 19 \text{ (base dix)}.$$

Aujourd'hui, le système binaire (base deux) est aussi utilisé pour coder la transmission du son, des images et des informations dans Internet.

Une très vieille profession

Six cents ans avant notre ère, le roi de Babylone, Nabuchodonosor, utilisait un moyen très original pour garder ses ordres secrets. Il écrivait sur le crâne rasé de ses esclaves, attendait que leurs cheveux repoussent puis les envoyaient à ses généraux. Ceux-ci n'avaient qu'à raser de nouveau les cheveux de ces esclaves pour lire les ordres de leur roi.

Mais le premier à utiliser un code secret fut Jules César. Il décalait les lettres de trois positions dans l'alphabet pour coder ses messages. Ainsi « bonjour » se lisait « erqmrxu ». Auparavant, le cryptage était surtout utilisé en temps de guerre.

Jules César
(100-44 av. J.-C.)

Les cryptographes : indispensables dans la vie moderne

De nos jours, à cause de toutes les communications par courrier électronique, des téléphones cellulaires, des transactions bancaires et du commerce électronique, les cryptographes doivent sans cesse trouver des moyens pour protéger la confidentialité des échanges.

Les cryptographes sont généralement des mathématiciens et des mathématiciennes. Leur travail consiste à coder l'information à l'aide des nombres pour rendre les échanges d'informations confidentiels et éviter que celles-ci soient lues, copiées, supprimées ou modifiées. Ces spécialistes peuvent travailler, entre autres, pour une banque, pour les services gouvernementaux ou pour l'armée.

Les cryptographes doivent toujours s'assurer que leur système sera impossible à déjouer si l'on ne connaît pas la clé qui permet de décrypter le message, mais qu'il est très facile à décoder si l'on possède cette clé.

Principe du cryptage

1. Alice veut recevoir en toute confidentialité une lettre de Bob. Elle lui envoie un cadenas déverrouillé. Elle garde précieusement la clé permettant de l'ouvrir.

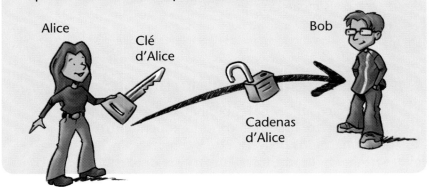

2. Au moment d'expédier sa lettre à Alice, Bob en assure la confidentialité en la verrouillant avec le cadenas envoyé par Alice. Personne ne peut l'ouvrir sauf Alice, qui est la seule à posséder la clé.

La machine Énigma

La machine à crypter Énigma a été utilisée par l'armée allemande de 1925 jusqu'à la fin de la Seconde Guerre mondiale. Elle était composée d'un clavier pour la saisie du message, d'un système de roues servant au cryptage et d'un tableau lumineux pour afficher le résultat.

Le système de cryptage RSA

(du nom de ses trois créateurs, en 1978, **R**ivest, **S**hamir et **A**dleman)

Les mathématiciens et les mathématiciennes se passionnent depuis toujours pour les nombres premiers. Personne n'a trouvé de solution rapide au problème de la factorisation première, même avec la venue d'ordinateurs de plus en plus puissants. C'est pourquoi le système de cryptage RSA, basé sur la décomposition de grands nombres en deux facteurs premiers d'au moins 150 chiffres chacun, est sécuritaire.

Il faudrait plusieurs milliers d'années à un ordinateur ne connaissant pas les deux nombres premiers utilisés avant de décrypter un message.

Dans son livre La route du futur, Bill Gates a écrit que le développement d'un moyen simple de faire la factorisation première des grands nombres constituerait une importante percée en mathématique.

À TOI DE JOUER

1 Combien de temps prends-tu pour :
a) calculer 197×23 ?
b) faire la factorisation première de 6557 ?

2 On a codé un message à l'aide du tableau suivant.

a	b	c	d	e	f	g	h	i	j	k	l	m
21	22	23	24	25	26	01	02	03	04	05	06	07

n	o	p	q	r	s	t	u	v	w	x	y	z
08	09	10	11	12	13	14	15	16	17	18	19	20

On a multiplié le message codé par le carré du quatrième nombre premier et on a obtenu le message crypté suivant : 7855925.

Quel était le message de base ?

3 Joue le rôle de cryptographe en envoyant un court message crypté à une personne de ta classe. Si l'on ne connaît pas la clé, le message doit être incompréhensible. Cette clé, une fois connue, doit cependant permettre un décryptage facile de ton message.

À TOI DE CHERCHER

4 Trouve, dans l'histoire, trois autres méthodes qui ont été utilisées pour crypter des messages.

5 Que fait un ou une cryptanalyste ?

1. FRACTALE Une fractale est un dessin dans lequel chacune des parties, aussi petite soit-elle, ressemble toujours à l'objet de départ.
La construction géométrique ci-contre est appelée la *fractale de Von Koch*. Si le 1er niveau comporte quatre segments de même longueur, combien le 5e niveau en compte-t-il?

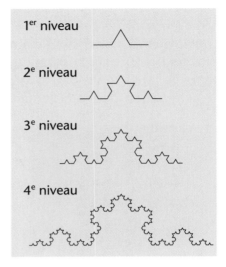

1er niveau

2e niveau

3e niveau

4e niveau

La fractale de Koch est souvent appelée le «flocon de neige». Dans la nature, quand on observe un flocon de neige à différentes échelles, on remarque que sa structure est à peu près identique.

2. Les trois égalités ci-dessous sont construites selon un modèle particulier.

$$3^2 + 4^2 + 12^2 = 13^2$$
$$4^2 + 5^2 + 20^2 = 21^2$$
$$5^2 + 6^2 + 30^2 = 31^2$$

En respectant ce modèle, donne l'égalité qui :

a) précède ces trois lignes; b) suit ces trois lignes.

3. Associe chaque chaîne d'opérations à l'énoncé qui lui correspond.

1 $8 \times (6 - 3) \times 6$

2 $8 \times 6 \times 3$

3 $8 \times 6 - 3 \times 6$

4 $8 \times 6 - 3$

A Jade possède 8 immeubles de 6 logements chacun. Elle vend 3 immeubles. Combien de logements lui reste-t-il?

B Hugues a 8 enfants qui ont eu chacun 6 enfants, et ceux-ci ont tous et toutes eu 3 enfants. Combien Hugues a-t-il d'arrière-petits-enfants?

C Ludovic a 6 ans et sa petite sœur Ariane a 3 ans. Leur adresse civique correspond à 8 fois l'écart entre leurs âges multipliée par 6. Quelle est leur adresse?

D Caroline travaille dans un restaurant du centre-ville. Elle gagne 8 $ de l'heure mais doit débourser 3 $ par jour pour le stationnement. Si elle travaille 6 h en une journée, combien d'argent lui reste-t-il après avoir payé son stationnement?

4. Patricia a photographié sa famille à l'aide de son appareil numérique. Elle a envoyé la photographie, par courriel, à 3 membres de sa famille. Chacune de ces personnes a envoyé, par courriel, la photographie à 2 de ses camarades. Ces personnes, finalement, ont chacune envoyé, par courriel, la photographie à une autre personne. Au total, combien de personnes auront reçu la photo de famille ?

En 1994, le premier appareil photo numérique (Apple QuickTake 100) compatible avec un ordinateur personnel est mis sur le marché.

5. **LA VIE DANS LES NUAGES** Les nuages sont, entre autres, constitués de bactéries. Birgitt Sattler a remarqué que les bactéries ont le temps de se multiplier plusieurs fois avant qu'un nuage disparaisse. Si l'on trouve 1500 bactéries au départ et qu'elles se multiplient par 5 tous les jours, combien de bactéries y aura-t-il dans 8 jours ?

Birgitt Sattler, une chercheuse autrichienne, a découvert que des bactéries vivent et se multiplient dans les nuages.

6. Dans une scierie, on reçoit des troncs d'arbres de deux longueurs : 400 cm et 720 cm. Avant de les découper en planches, on doit scier tous les troncs d'arbres reçus en morceaux ayant tous la même longueur, et il faut que ces morceaux soient le plus longs possible et qu'il n'y ait pas de perte. Quelle sera la longueur des morceaux une fois les troncs d'arbres coupés ?

7. Quatre amis conviennent de partager le coût d'un repas. Ils achètent deux quiches à 15 $ chacune, 4 jus à 1 $ chacun, 4 salades à 2 $ chacune et une boîte de biscuits de 4 $. Chacun donne 12 $. Parmi les chaînes d'opérations ci-contre, laquelle permet de calculer la monnaie qui sera rendue à chacun des amis ?

A $4 \times 12 - (2 \times 15 + 4 \times 1 + 4 \times 2 + 4) \div 4$

B $(4 \times 12 - (2 \times 15 + 4 \times 1 + 4 \times 2 + 4)) \div 4$

C $(2 \times 15 + 4 \times 1 + 4 \times 2 + 4 - 4 \times 12) \div 4$

D $((2 \times 15 + 4 \times 1 + 4 \times 2 + 4) - 4 \times 12) \div 4$

8. Laura revient d'un voyage de sept jours en voiture avec ses parents. À son retour, des camarades lui demandent le nombre de kilomètres qu'elle a parcourus en voiture chaque jour durant son voyage. Laura répond : « Nous avons fait en moyenne 170 km par jour, et l'étendue des kilomètres parcourus chaque jour était de 480 km. » Donne une possibilité du nombre de kilomètres parcourus chaque jour par Laura et sa famille.

9. Après qu'on a planté la tige d'un oranger dans le sol, l'arbre a connu une croissance exponentielle au cours de ses six premières années. Voici l'illustration de la première année de sa croissance.

On plante une tige au début.   Après six mois.   Après un an.

a) Après quatre ans, si chaque extrémité hors terre de l'arbre produit une orange, combien d'oranges peut-on récolter?

b) Trace un diagramme à ligne brisée représentant le nombre total de branches que compte l'oranger, en excluant le tronc, pour ses deux premières années de croissance.

c) Après trois ans, combien y a-t-il d'extrémités sous terre de plus que d'extrémités hors terre?

10. Samir participe aux qualifications en plongeon pour les Jeux du Québec. Il doit obtenir une note moyenne de 7 pour l'ensemble de ses cinq plongeons pour accéder à la finale. Voici les notes de ses quatre premiers plongeons : 8, 5, 6 et 7. Quelle note minimale doit-il obtenir à son cinquième plongeon pour se qualifier?

11. Lorsqu'une chaîne d'opérations ne comprend que des additions et des soustractions, on peut parfois mettre en évidence un diviseur commun à tous les nombres, c'est-à-dire faire une mise en évidence simple.

Par exemple, dans l'expression $18 + 24 + 54$, 6 est un diviseur de 18, 24 et 54. On peut donc écrire :

$$18 + 24 + 54 = 6 \times 3 + 6 \times 4 + 6 \times 9$$
$$= 6 \times (3 + 4 + 9)$$

Fais une mise en évidence simple des expressions suivantes. Mets toujours le plus grand commun diviseur en évidence.

a) $48 + 80 + 28$ b) $35 + 55 + 15$ c) $12 + 24 + 18 + 21 + 42$

12. Crée une chaîne d'opérations ayant les caractéristiques suivantes :

a) la chaîne comporte deux additions, trois nombres pairs différents et le résultat est 24;

b) la chaîne comprend une addition, deux soustractions, tous les nombres sont différents et le résultat est 0.

13. Reproduis le tableau ci-contre et complète-le en respectant les priorités des opérations.

14	+	▨	−	7	=	22
+	■	+	■	×		
▨	×	6	×	▨	=	96
×	■	÷	■	−		
▨	×	▨	÷	▨	=	3
=	■	=	■	=		
32		18		50		

14. HOCKEY Voici quelques informations relatives aux cinq meilleurs marqueurs depuis la création de la LNH, en 1917, jusqu'en 2004.

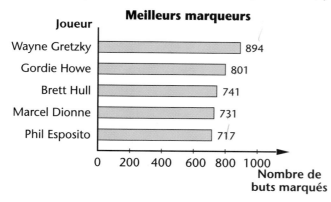

Meilleurs marqueurs

Joueur
- Wayne Gretzky — 894
- Gordie Howe — 801
- Brett Hull — 741
- Marcel Dionne — 731
- Phil Esposito — 717

0 200 400 600 800 1000
Nombre de buts marqués

MEILLEURS MARQUEURS

JOUEUR	NOMBRE DE SAISONS EN CARRIÈRE
GORDIE HOWE	26
WAYNE GRETZKY	21
BRETT HULL	19
MARCEL DIONNE	18
PHIL ESPOSITO	18

a) Dans le diagramme à bandes ci-dessus :
   1) quel est le caractère étudié ? Est-il quantitatif ou qualitatif ?
   2) quelle est l'étendue du nombre de buts marqués ?

b) Dans le tableau ci-dessus :
   1) quel est le caractère étudié ? Est-il quantitatif ou qualitatif ?
   2) quelle est l'étendue du nombre de saisons ?

c) Quelle est la moyenne de buts marqués par ces cinq joueurs ?

d) Quel joueur a marqué le plus de buts, en moyenne, par saison ?

C'est le gouverneur général du Canada, lord Stanley, qui a créé, en 1893, la coupe Stanley.

15. Pour évaluer les besoins d'un réseau de transport en commun, on prend en note le nombre total de personnes qui utilisent l'autobus chaque heure, entre 7 h et 18 h. Le tableau ci-contre présente les données recueillies.

S'il y a en moyenne, par heure :

- moins de 10 personnes → on retirera des autobus ;
- de 10 à 24 personnes → il n'y aura aucun changement ;
- 25 personnes et plus → on ajoutera des autobus.

Quelle sera la décision ?

Heure de départ du terminus	Nombre de personnes
7:00	29
8:00	49
9:00	40
10:00	20
11:00	9
12:00	7
13:00	8
14:00	7
15:00	26
16:00	35
17:00	45
18:00	37

16. Dans chacun des cas, donne trois exemples pour illustrer ces propriétés mathématiques reliées aux exposants.

   a) La somme d'une suite de nombres impairs consécutifs commençant par 1 est un nombre carré.

   b) Soit trois nombres naturels consécutifs. La différence entre le carré du deuxième et le produit du premier multiplié par le troisième est 1.

17. Lors d'une croisière sur le fleuve Saint-Laurent, Daniel voit au loin le dos d'une baleine. Le lendemain, il raconte à 3 personnes de son quartier que son bateau a presque été renversé par une baleine. La journée suivante, chacune de ces personnes raconte cette histoire à 3 autres personnes. Celles-ci font de même le lendemain, et ainsi de suite. Le quartier de Daniel compte 570 personnes. Après combien de jours toutes les personnes du quartier de Daniel seront-elles au courant de l'histoire de la baleine ? Explique ta démarche.

Au Québec, il existe des recommandations concernant l'observation des baleines. Par exemple :

- On ne doit pas s'approcher à plus de 200 m d'une baleine.
- À proximité d'une baleine, un bateau ne doit pas changer brusquement de vitesse ou de direction.
- Il faut se déplacer parallèlement aux baleines.

18. Dans un étang, les nénuphars grandissent si vite qu'ils doublent de surface chaque jour. Au bout de trente jours, l'étang est entièrement recouvert. À quel moment l'étang était-il seulement à moitié recouvert ?

19. Choisis un nombre naturel supérieur à 9 et inférieur à 51. De ce nombre, soustrais la somme de ses deux chiffres. Dans le tableau ci-dessous, trouve le symbole qui correspond à ton résultat.

Prédiction Il s'agit assurément d'un symbole que tu retrouves sur la page couverture de ce manuel. Pourquoi ?

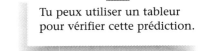

Tu peux utiliser un tableur pour vérifier cette prédiction.

	A	B	C
1	Nombre	Somme des chiffres	Différence
2	10	1	9
3	11	2	
4	12		
5			

1	2	3	4	5	6	7	8	9	10	11	12	13	14	15	16	17	18	19	20	21	22	23	24	25
✢	$	☆	✢	$	$	✢	♦	@	☆	♦	$	♣	☆	✢	$	@	@	◓	$	☆	✢	◓	♣	@

26	27	28	29	30	31	32	33	34	35	36	37	38	39	40	41	42	43	44	45	46	47	48	49	50
@	@	☆	♣	♦	☆	$	✢	◓	♣	@	◓	♦	◓	$	✢	◓	♣	$	@	♦	✢	◓	✢	♣

Panorama 3

Des nombres entiers au plan cartésien

De nos jours, l'utilisation des nombres négatifs est répandue. Pourtant, ces nombres ont dû franchir bien des obstacles avant d'être admis en mathématique. Mais, au fait, depuis quand utilise-t-on les nombres négatifs ? Quel sens leur donnait-on à l'époque ? Dans ce panorama, tu utiliseras les nombres négatifs pour indiquer des températures et des altitudes, et établir des bilans financiers et des statistiques sportives. Tu effectueras des opérations avec des nombres négatifs et tu exploreras aussi différents systèmes de repérage.

PROJET

Conception d'un jeu territorial

Société des maths

Jean Le Rond d'Alembert

À qui ça sert ?

Cartographe

Conception d'un jeu territorial

Présentation

Lorsque vient le temps de se divertir, les jeux de société sont une activité de choix. Ces jeux existent depuis longtemps et certains sont très populaires. Par exemple, depuis son lancement en 1935, le jeu de Monopoly s'est vendu à 200 millions d'exemplaires! Les jeux de société peuvent prendre plusieurs formes. Il y a, entre autres, les jeux de cartes, de connaissances, de plateau, de pions, de rôles et de dés.

Le jeu de Monopoly est un des jeux de société les plus populaires du monde. Il est vendu dans plus de 80 pays et existe en 26 langues. Il est aussi offert sur disque numérique et accessible dans Internet.

Mandat général proposé

Tu devras inventer un jeu de société dans lequel l'action se déroulera sur un plateau représentant un territoire réel ou fictif. L'utilisation d'un plan cartésien et des nombres entiers sera nécessaire lors de l'élaboration du jeu. La réalisation d'un tel jeu se fait en plusieurs étapes.

- ■ **Partie 1** : Description du jeu.
- ■ **Partie 2** : Fabrication du jeu et de ses composantes.
- ■ **Partie 3** : Test du prototype de jeu.

Mise en train

Nomme des jeux de société appartenant à chacune des catégories suivantes. Certains jeux peuvent apparaître dans plus d'une catégorie.

- • Jeux de cartes
- • Jeux de plateau
- • Jeux de rôles
- • Jeux de logique

- • Jeux de connaissances
- • Jeux de pions
- • Jeux de dés
- • Jeux territoriaux

Partie 1 : Description du jeu

Avant de fabriquer un nouveau jeu, on doit d'abord l'imaginer.

Mandat proposé

Inventer un jeu de société, décrire ses composantes et en rédiger les règles.

Tu dois respecter les consignes suivantes :

- l'action se déroule sur un plateau représentant un territoire ;
- le plateau comprend un plan cartésien dont l'origine est au centre du plateau ;
- le jeu comporte des cartes présentant des questions d'arithmétique sur les nombres entiers, négatifs et positifs, et qui incluent toutes les opérations (+, −, ×, ÷ et l'exponentiation).

Pistes d'exploration...

■ Quel nom donneras-tu à ton jeu ?

■ Quel est le but visé dans ton jeu ?

■ Quelle forme désires-tu donner au plateau de ton jeu ?

■ Le territoire est-il réel ou fictif ?

■ Quel est le pas de graduation des axes du plan cartésien ?

■ Combien de personnes peuvent participer à ce jeu ?

■ Quels sont les règles de ton jeu ?

■ L'utilisation de dés est-elle appropriée ?

■ Quand doit-on tirer une carte d'arithmétique ?

■ À quel moment la partie se termine-t-elle ?

PROJET
Au besoin, consulte les unités 3.1 et 3.2, qui traitent des nombres entiers et du plan cartésien.

Les jeux de société territoriaux sont généralement des jeux dont le but est de conquérir un territoire, découvrir certains éléments cachés ou bâtir une civilisation.

L'étape de la fabrication constitue le moment où les idées prennent forme.

Mandat proposé

Fabriquer le plateau et ses composantes.

PISTES D'EXPLORATION...

■ Le plan cartésien est-il bien illustré sur le plateau?

■ As-tu prévu un endroit sur le plateau pour déposer les cartes comportant des questions?

■ Peux-tu utiliser des composantes provenant de jeux déjà existants?

■ As-tu prêté une attention particulière au respect de la langue française dans toutes les parties écrites?

■ Les cartes présentant les questions d'arithmétique sur les nombres entiers comportent-elles toutes les opérations?

■ As-tu pris soin de valider les réponses aux questions d'arithmétique?

■ À quel endroit les réponses aux questions d'arithmétique sont-elles écrites?

PROJET

Au besoin, consulte les unités 3.1 à 3.4, qui traitent des nombres entiers, du plan cartésien et des opérations sur les nombres entiers.

Originaire de Chine, le jeu de go a été introduit au Japon vers l'an 500, où il est devenu extrêmement populaire. Le go se joue sur un damier carré quadrillé où chaque adversaire dispose ses pions (petites pierres blanches ou noires) selon certaines règles. Le but du jeu est d'occuper le plus de territoires possible.

Partie 3 : Test du prototype de jeu

Une fois le prototype de ton jeu fabriqué, tu dois en tester la conception.
Ce genre de test permet d'évaluer la qualité du jeu et de l'améliorer.

Mandat proposé

Expérimenter le jeu avec des élèves et recueillir leurs commentaires.

PISTES D'EXPLORATION...

■ Avant l'expérimentation, as-tu distribué aux élèves les règles du jeu?

■ Est-ce que les élèves ont aimé ton jeu?

■ Est-ce que les élèves ont apprécié l'apparence de ce jeu?

■ Les règles ont-elles été bien comprises?

■ Les questions d'arithmétique ont-elles été considérées comme trop faciles, trop difficiles ou adéquates?

■ Quelles améliorations ont été suggérées par les élèves?

PROJET
Au besoin, consulte les unités 3.1 à 3.4, qui traitent des nombres entiers, du plan cartésien et des opérations sur les nombres entiers.

Bilan du projet : Conception d'un jeu territorial

Présente ton jeu en décrivant :
• son déroulement;
• les notions mathématiques qui y sont exploitées;
• les difficultés éprouvées lors de la conception;
• les éléments qui pourraient être améliorés.

Unité 3.1 : Plus ou moins

PROJET Cette unité t'aidera à réaliser les parties 1 à 3 de ton projet.

SITUATION-PROBLÈME — Un point de vue historique

Tous les jours, on utilise des nombres entiers positifs pour compter, calculer et représenter des quantités. Leur signification est facile à comprendre, car on peut intuitivement leur associer une image. Ce n'est d'ailleurs pas un hasard si l'on qualifie les nombres entiers positifs de nombres naturels.

Par contre, le recours aux nombres entiers négatifs est moins naturel et moins répandu. Dès l'apparition des nombres négatifs, leur existence a été contestée par plusieurs. Voici quelques textes concernant l'histoire des nombres négatifs et des réactions qu'ils ont suscitées.

1 Les nombres négatifs et la géométrie

Dans les mathématiques grecques, au 5ᵉ siècle av. J.-C., les nombres étaient presque toujours liés à une interprétation géométrique. Ainsi, les nombres négatifs n'étaient pas envisageables. Par exemple, comment un objet pourrait-il avoir une longueur de ⁻5 cm ?

2 Le commerce en Chine

Au 1ᵉʳ siècle, les Chinois utilisaient les nombres négatifs pour faire des calculs portant sur des comptes commerciaux. Ils représentaient les nombres négatifs par des baguettes noires et les nombres positifs par des baguettes rouges.

3 Dettes et profits

Le mathématicien et astronome indien Brahmagupta (v. 598-v. 665) utilisait dans ses calculs financiers des nombres négatifs pour indiquer les pertes et les dettes, et des nombres positifs pour inscrire les profits et les biens.

4 Avancer et reculer

Albert Girard (1595-1632) proposa une interprétation géométrique des nombres négatifs : le signe « ⁻ » correspondait à reculer et le signe « ⁺ », à avancer.

5 0 − 4 = 0, est-ce possible ?

Blaise Pascal (1623-1662) considérait la soustraction 0 − 4 comme un non-sens. Mais il comprenait que certaines personnes puissent penser que 0 − 4 = 0. Après tout, retranchez 4 de rien, il vous restera toujours rien !

6 Protestations

Au 18e siècle, plusieurs mathématiciens et mathématiciennes protestèrent contre l'usage des nombres négatifs. On peut d'ailleurs lire dans une encyclopédie de cette époque que « si un nombre négatif est la solution d'un problème, c'est que ce problème est mal posé ».

NON aux négatifs !

Soyons positifs !

7 Impossible !

Lazare Carnot (1753-1823), membre de l'Académie des sciences, affirma ceci : « Avancer qu'une quantité négative est moindre que 0, c'est couvrir la science des mathématiques d'un nuage impénétrable et s'engager dans un labyrinthe de paradoxes tous plus bizarres les uns que les autres. Pour obtenir réellement une quantité négative, il faudrait retrancher une quantité de zéros, ôter quelque chose de rien : c'est une opération impossible. »

8 C'est absurde !

Lacroix, dans son livre de 1808, qualifiait les solutions négatives d'absurdes. « Simplement en observant l'expression 50 + ? = 40, on en constate l'absurdité. En effet, il n'est pas possible d'obtenir 40 en ajoutant quelque chose à 50 puisque 50 surpasse déjà 40. »

Malgré ces obstacles, comment se fait-il qu'on utilise les nombres négatifs encore aujourd'hui ?

PISTES D'EXPLORATION...

- ▪ As-tu dressé la liste des arguments servant à rejeter l'utilisation des nombres négatifs ?
- ▪ As-tu relevé les exemples donnant un sens aux nombres négatifs ?
- ▪ Connais-tu d'autres exemples d'utilisation des nombres négatifs ?
- ▪ As-tu comparé ton point de vue à celui d'autres personnes ?

De part et d'autre

Voici quelques situations où interviennent des nombres négatifs.

1) La température

°C

30 ← Chaude journée d'été.
20
10
0 ← Point de congélation de l'eau.
-10
-20
-30 ← Sans protection, la peau peut geler rapidement.

Représentation de l'assemblage des molécules d'eau dans la glace. Une molécule d'eau (H_2O) comporte deux atomes d'hydrogène et un atome d'oxygène. On trouve l'eau sous trois formes : solide à 0 °C et moins ; liquide, entre 0 °C et 100 °C ; gazeuse à partir de 100 °C.

2) L'argent

Bilan d'une petite entreprise

Date	Dépenses ($)	Revenus ($)	Bilan de la journée ($)	
21 mai	420	720	300	← Bon rendement
22 mai	215	100	-115	← Mauvais rendement
23 mai	98	98	0	← Équilibre financier

3) Le temps

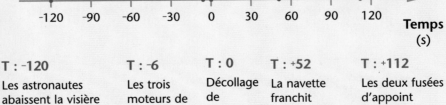

-120 -90 -60 -30 0 30 60 90 120

Temps (s)

T : -120
Les astronautes abaissent la visière de leur casque et commencent à respirer de l'air comprimé.

T : -6
Les trois moteurs de la navette s'allument.

T : 0
Décollage de la navette.

T : +52
La navette franchit le mur du son, soit à environ 1200 km/h.

T : +112
Les deux fusées d'appoint se détachent de la navette.

4) L'altitude

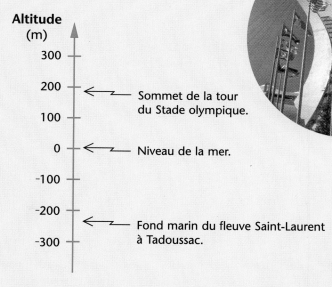

Altitude (m)

300

200 ← Sommet de la tour du Stade olympique.

100

0 ← Niveau de la mer.

-100

-200

← Fond marin du fleuve Saint-Laurent à Tadoussac.

-300

Le Stade olympique de Montréal a été construit pour accueillir les Jeux olympiques de 1976.

Les biologistes marins estiment que la population actuelle de bélugas dans le Saint-Laurent est d'environ 1400 individus.

a. Toutes ces situations utilisent le même point de repère qui sépare les nombres négatifs des nombres positifs. Quel est ce point de repère ?

b. Dans chacune des situations précédentes, donne la signification des nombres négatifs et des nombres positifs par rapport au point de repère.

ACTIVITÉ ② Classement des températures

Le tableau ci-dessous présente quelques températures enregistrées à midi dans certaines villes du Québec lors d'une journée d'hiver.

a. Dans ce tableau, quelle ville a la température :

1) la plus élevée ? 2) la plus basse ?

b. En quoi les températures de Dolbeau et Granby sont-elles :

1) semblables ? 2) différentes ?

c. Classe par ordre croissant les températures apparaissant dans le tableau.

d. À l'aide d'un atlas, classe les villes du tableau en partant de la ville qui est située le plus au nord pour aller à celle qui se trouve le plus au sud.

e. 1) Peut-on établir un lien en comparant les réponses données aux questions **c** et **d** ?

2) En est-il toujours ainsi ?

Températures au Québec

Ville	Température (°C)
Chibougamau	-11
Dolbeau	-7
Fort-Chimo	-14
Granby	7
Laval	5
Trois-Rivières	0
Val-d'Or	-4

En géographie, on indique généralement la position d'une ville en donnant sa latitude et sa longitude, qui représentent respectivement la position horizontale et la position verticale de cette ville sur le globe terrestre.

Nombres entiers

Les **nombres entiers positifs** correspondent aux nombres naturels précédés du **signe «+»** :

$$^+0, ^+1, ^+2, ^+3, ... \text{ ou, plus simplement, } 0, 1, 2, 3, ...$$

Les **nombres entiers négatifs** correspondent aux nombres naturels précédés du **signe «−»** :

$$^-0, ^-1, ^-2, ^-3, ... \text{ ou, plus simplement, } 0, ^-1, ^-2, ^-3, ...$$

Les **nombres entiers** sont constitués des **nombres entiers positifs et négatifs.**

$$..., ^-3, ^-2, ^-1, ^\pm0, ^+1, ^+2, ^+3, ... \text{ ou, plus simplement, } ..., ^-3, ^-2, ^-1, 0, 1, 2, 3, ...$$

> On peut omettre le signe «+» devant les nombres positifs. Ainsi, +8 devient 8.
>
> Les nombres négatifs s'écrivent avec le signe «−», à l'exception de 0.

Nombres opposés

Les **nombres négatifs sont les opposés des nombres positifs.** Sur une droite numérique, les nombres négatifs et les nombres positifs sont placés de **part et d'autre du zéro.** Chaque nombre entier a un opposé situé à la même distance du zéro.

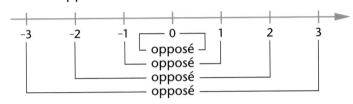

On traduit le **signe «−»** par le mot **«opposé».** Ainsi, le signe «−» placé immédiatement devant un nombre signifie que l'on s'intéresse à l'opposé de ce nombre.

> Ex. : 1) ⁻5 se lit «l'opposé de 5».
> 2) ⁻*a* se lit «l'opposé de *a*».
> 3) ⁻(⁻7) se lit «l'opposé de l'opposé de 7».

Ordre

La droite numérique est utile pour comparer l'ordre de deux nombres entiers.

Lorsqu'on compare deux nombres entiers sur une droite numérique :

- celui qui est situé **le plus à gauche est inférieur** à l'autre ;
- celui qui est situé **le plus à droite est supérieur** à l'autre.

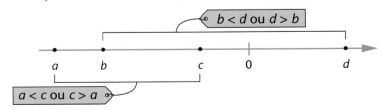

Ex. :

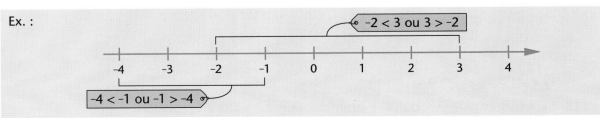

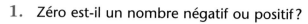

Coup d'œil

1. Zéro est-il un nombre négatif ou positif?

2. Sur une droite numérique, lequel des nombres suivants est situé le plus à droite :

   a) 0, ⁻4, 7, 10 ou ⁻18?   b) ⁻19, ⁻54, ⁻77, ⁻92 ou ⁻100?

3. Si la journée actuelle correspond au jour 0, par quel nombre entier peut-on représenter les expressions suivantes?

   a) Hier.   b) Demain.   c) Il y a 8 jours.   d) Dans 10 jours.

4. En utilisant la droite numérique ci-dessous, détermine le nombre entier qui est situé à mi-chemin entre :

   a) ⁻8 et 2   b) ⁻2 et 8   c) 6 et ⁻6   d) ⁻5 et 3

5. Donne la température qui :

   a) correspond à 5 °C sous zéro;   b) est de 8 °C plus froide que ⁻10 °C;

   c) correspond à l'opposé de 21 °C;   d) est de 10 °C plus chaude que ⁻3 °C.

6. GOLF Au golf, la normale correspond au nombre de coups que l'on devrait frapper pour mettre la balle dans le trou. À la fin du parcours, le score d'une personne indique le nombre de coups qu'elle a joués de plus ou de moins que la normale.

   a) Pour un parcours dont la normale est de 72 coups, quel est le score d'un golfeur ou d'une golfeuse qui a joué le nombre de coups suivants?

   1) 65 coups   2) 100 coups   3) 74 coups

   b) Pour un parcours dont la normale est de 72 coups, indique le nombre total de coups que le golfeur ou la golfeuse a frappés si son score final a été de :

   1) ⁺10   2) ⁻5   3) 0

7. a) Quelle touche de la calculatrice te permet d'afficher le signe «⁻»?

   b) Explique ce que tu dois faire pour afficher ⁻27 sur la calculatrice.

8. Quel nombre correspond à l'opposé de chacun des nombres suivants ?

   a) 17   b) ⁻610   c) 1   d) 0   e) *n*   f) ⁻*t*

9. Quel nombre correspond à :

   a) l'opposé de l'opposé de ⁻23 ?

   b) l'opposé de l'opposé de l'opposé de 7 ?

10. Le bilan ci-dessous permet de suivre le rendement journalier d'une entreprise.

   a) Sans faire de calcul, comment s'y prend-on pour reconnaître une journée dont le rendement a été négatif ?

   b) Indique les jours où l'entreprise a connu un rendement positif.

   c) Pour l'ensemble de ces cinq jours, on prétend que l'entreprise a connu un mauvais rendement car il y a eu plus de mauvaises journées que de bonnes journées. Es-tu d'accord ? Explique ta réponse.

Bilan d'une entreprise

Date	Dépenses ($)	Revenus ($)
11 mars	540	500
12 mars	200	300
13 mars	55	50
14 mars	1 000	1 500
15 mars	800	799

11. Un bateau a coulé au large des côtes de Terre-Neuve. L'avant du bateau est à ⁻96 m par rapport à la surface de l'eau et l'arrière du bateau est à ⁻123 m par rapport à la surface de l'eau. Dessine une droite horizontale représentant la surface de l'eau et le bateau dans la position décrite en indiquant où se trouvent l'avant et l'arrière du bateau.

12. Donne l'expression équivalente comportant le moins de symboles possible.

   a) ⁻(⁻8)   b) ⁺6   c) ⁻(⁻(24))

   d) ⁻(⁻(⁻13))   e) ⁻(⁻(⁻(⁻(⁻30))))   f) ⁻(⁻(⁻(⁻*n*)))

13. Quel signe correspond à :

   a) un nombre pair de signes « ⁻ » ?   b) un nombre impair de signes « ⁻ » ?

14. Pour chacune des suites ci-contre :

   a) donne les trois termes suivants ;

   b) indique s'il s'agit d'une suite croissante, d'une suite décroissante ou d'une suite non ordonnée.

   1 10, 8, 6, 4, 2, ...

   2 ⁻20, ⁻15, ⁻10, ...

   3 ⁻2, 4, ⁻8, 16, ...

15. Voici une illustration du relief terrestre d'une certaine région.

a) Estime l'altitude de chacun des points indiqués.

b) Par rapport au niveau de la mer, quel est le point :

1) le plus bas ?

2) le plus haut ?

3) le plus éloigné ?

4) le plus près ?

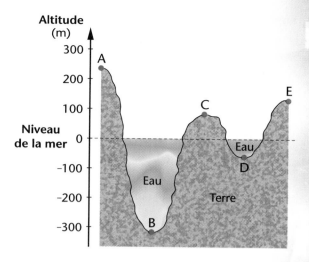

16. Ce matin, le thermomètre indiquait -9 °C. Ce soir, il indique -15 °C. Voici, en désordre, les différentes lectures qu'une météorologue a faites au cours de la journée :

| 8 °C | -12 °C | 9 °C | -5 °C | 0 °C | 4 °C | -6 °C |

Replace ces températures dans l'ordre où elles ont pu être notées au cours de la journée.

17. HISTOIRE Sur une droite numérique représentant une ligne du temps, place les six dates données.

• César (-101, -44) : le fondateur de l'Empire romain.

• Auguste (-63, 14) : l'héritier de César.

• Cléopâtre (-69, -30) : la reine d'Égypte qui conclut une alliance politique avec César.

18. Indique le symbole approprié : < ou >.

a) -6 ▇ 3

b) 11 ▇ -88

c) 0 ▇ -978

d) -260 ▇ -261

e) -16 ▇ 0

f) -4502 ▇ -3005

19. Place les nombres :

a) -99, 44, -30, -5, 0, -44, 72 dans l'ordre croissant ;

b) 256, -1, 357, -634, 5, 412, -300, -630 dans l'ordre décroissant.

20. Les lettres sur la droite numérique ci-dessous représentent des nombres entiers. Les relations proposées sont-elles vraies ou fausses?

a) $r < s$ b) $r > t$ c) $^-s > t$ d) $^-r > ^-t$

21. Le panneau de commande à l'intérieur d'un ascenseur comporte plusieurs boutons. Généralement, l'étage au niveau du sol est identifié par «RC», pour rez-de-chaussée, et le niveau inférieur par «SS1», pour 1er sous-sol.

En n'utilisant que des nombres entiers pour identifier les boutons, dessine le panneau de commande d'un ascenseur d'un hôtel comportant 15 étages au-dessus du niveau du sol et 3 étages sous le niveau du sol.

Par superstition, on évite parfois volontairement d'afficher le 13e étage sur le panneau de commande d'un ascenseur.

 ZOOM

1 Pourquoi peut-on être assuré qu'il y a autant de nombres entiers négatifs que de nombres entiers positifs?

2 Quelle est la valeur de chaque expression si $n = ^-5$?

a) ^-n b) $^-(^-n)$

3 Soit a et b, des nombres entiers.

a) Quel nombre correspond à l'opposé de a?

b) Si $a < b$, alors que peux-tu affirmer au sujet de la relation d'ordre entre ^-a et ^-b?

c) Que penses-tu de l'affirmation suivante : ^-b est sûrement un nombre négatif puisqu'il y a un signe «$^-$» devant le b?

Unité 3.2 · Un bon plan

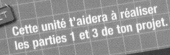
Cette unité t'aidera à réaliser les parties 1 et 3 de ton projet.

SITUATION-PROBLÈME Écran radar

Sur les écrans radars de la tour de contrôle d'un aéroport, les avions sont symbolisés par des losanges. Chaque losange est accompagné d'une étiquette indiquant le numéro de vol de l'avion, son altitude, sa vitesse et sa position par rapport à la tour de contrôle. Ces informations permettent aux contrôleurs et aux contrôleuses de la navigation aérienne de communiquer des consignes aux pilotes et, ainsi, d'assurer la sécurité et la fluidité du trafic aérien.

En cours de vol, les espacements entre les avions, fixés par des conventions internationales, sont d'au moins 300 m en altitude et de 9,25 km en distance.

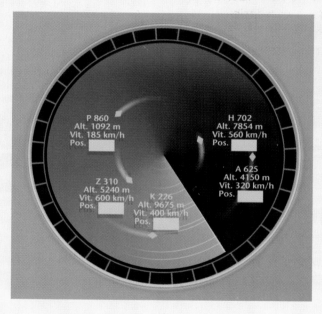

P 860
Alt. 1092 m
Vit. 185 km/h
Pos.

H 702
Alt. 7854 m
Vit. 560 km/h
Pos.

A 625
Alt. 4150 m
Vit. 320 km/h
Pos.

Z 310
Alt. 5240 m
Vit. 600 km/h
Pos.

K 226
Alt. 9675 m
Vit. 400 km/h
Pos.

Afin de se familiariser avec un nouvel avion ou un nouvel aéroport, les pilotes d'avions s'entraînent parfois avec un simulateur. La maîtrise de la mathématique est donc un atout de base pour les concepteurs et les conceptrices de simulateurs.

Un contrôleur aérien reçoit une demande d'atterrissage d'urgence d'un avion qui n'apparaît pas encore sur l'écran radar. Il doit le guider dans son approche vers l'aéroport.

Imagine une façon de communiquer au pilote en détresse la position exacte des autres avions.

PISTES D'EXPLORATION...

- Quel est le point de référence de ton système de repérage ?

- Ton système de repérage permet-il de distinguer de façon unique chacun des points de l'écran ?

- As-tu testé la précision de ton système de repérage auprès d'autres élèves ? Au besoin, révise ton système.

Où est-ce ?

Pour communiquer sa position à quelqu'un ou lui indiquer un chemin à suivre, on utilise habituellement des points de repère.

a. Une mouche s'est posée sur l'un des carreaux d'une fenêtre. Donne cinq façons différentes de décrire la position de cette mouche.

b. La carte géographique ci-dessous montre quelques villes du Québec dont la population est supérieure à 20 000 personnes.

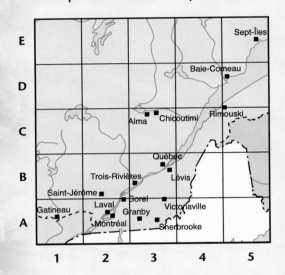

1) Décris la position de Granby sur cette carte.

2) Décris la position de Baie-Comeau sur cette carte.

3) Quelle modification pourrait-on apporter à cette carte pour que la description de l'emplacement d'une ville soit plus précise ?

> Au Canada, on compte deux villes dont la population est supérieure à un million de personnes : Toronto et Montréal. Ce poids démographique a plusieurs conséquences sur la vie des habitants et des habitantes : proximité des services, force économique et pollution (air et bruit).

c. Les quatre images suivantes montrent la même surface et le même point A. Sans utiliser d'instrument de mesure, décris le plus précisément possible la position du point A dans chacune de ces images.

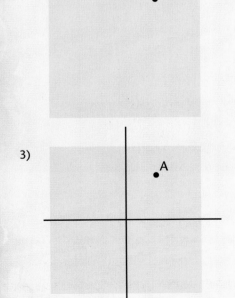

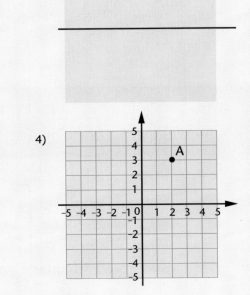

Plan cartésien

- Un plan muni d'un système de repérage formé de deux droites graduées qui se coupent perpendiculairement est appelé le **plan cartésien.**

- Le point d'intersection des deux droites est appelé l'**origine.**

- Les deux droites graduées partagent le plan cartésien en quatre régions appelées chacune **quadrant.**

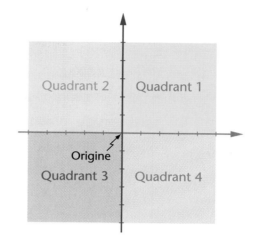

Coordonnées et axes

- Les deux nombres décrivant la position d'un point P dans le plan cartésien sont appelés les **coordonnées** de P. Le premier nombre est appelé l'**abscisse** et le second nombre, l'**ordonnée.** On écrit les deux nombres sous la forme d'un couple de nombres.

- $P(x, y)$ se lit «le point P de coordonnées x et y».

- La droite graduée qui permet de déterminer l'abscisse d'un point est appelée l'**axe des abscisses** ou l'**axe des** x et celle qui permet de déterminer l'ordonnée d'un point est appelée l'**axe des ordonnées** ou l'**axe des** y.

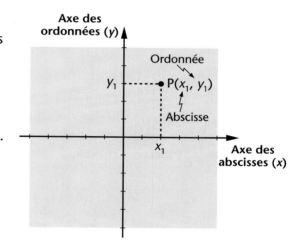

Ex. : 1) Les coordonnées du point R sont (2, 3).

2) Les coordonnées du point S sont (-1, 2).

3) Les coordonnées du point T sont (-4, -1).

4) Les coordonnées du point U sont (3, -2).

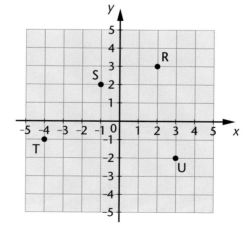

Pour faciliter le repérage des points, on utilise généralement un plan cartésien comportant un quadrillage. Les graduations des axes sont souvent identiques, mais elles peuvent aussi être différentes d'un axe à l'autre.

1. Dans un plan cartésien :

a) Quelles sont les coordonnées de l'origine?

b) Dans quel sens de rotation les quadrants sont-ils numérotés?

c) Dans quels quadrants les deux coordonnées sont-elles :

1) positives?   2) négatives?   3) de signes contraires?

2. ALARME D'INCENDIE

Lorsque l'alarme d'incendie se déclenche dans un immeuble public, les responsables peuvent en localiser rapidement la provenance grâce à une lumière rouge qui s'allume sur un panneau indicateur.

Voici le panneau indicateur du 2ᵉ étage d'un immeuble public. Pour en améliorer la précision, ce panneau est subdivisé selon un plan cartésien.

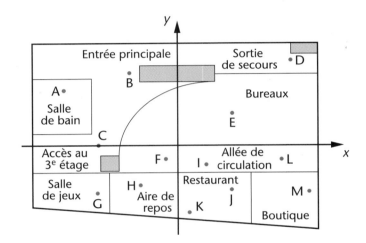

a) Quel est le seul point dont l'une des coordonnées est nulle?

b) Dans quel quadrant y a-t-il le plus de lumières rouges?

c) Si les coordonnées du point E sont (8, 5), estime les coordonnées du point :

1) A   2) K   3) I   4) D

3. Donne les coordonnées des points A, B, C, D et E dans chacun des plans cartésiens ci-dessous.

a)

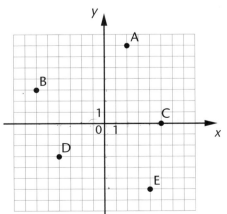

b)

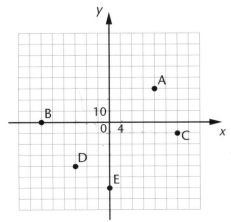

4. Donne les coordonnées des points R, S, T et U ci-contre si le pas de graduation de chacun des axes est de :

a) 2 unités;

b) 3 unités;

c) 5 unités.

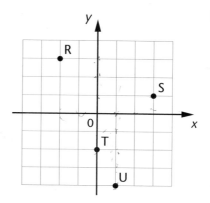

5. On a inscrit les coordonnées de quelques points de différentes façons. Donne les coordonnées des points A, B, C, D, E et F ci-dessous.

Déplacements successifs

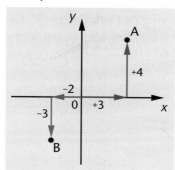

Projection sur les axes

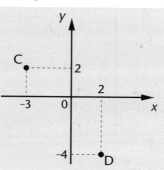

Quadrillage

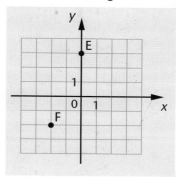

6. Dans un même plan cartésien, place les points suivants.

a) (5, 1) b) (-3, 5) c) (2, -4) d) (-1, -3)

e) (0, 6) f) (-2, 1) g) (-6, 0) h) (4, 4)

7. Quelle est la caractéristique des coordonnées des points situés :

a) sur l'axe des abscisses?

b) sur l'axe des ordonnées?

C'est où la sortie?

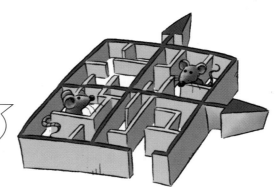

8. À l'aide de ce plan cartésien, réponds aux questions suivantes.

a) À partir du point (-7, 5), on effectue un déplacement de 3 unités vers la droite et de 4 unités vers le bas. Quelles sont les coordonnées du point d'arrivée?

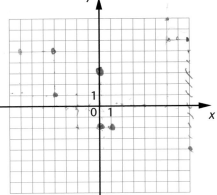

b) À la suite d'un déplacement de 9 unités vers la gauche et de 3 unités vers le haut, on arrive au point (-2, -1). Quelles étaient les coordonnées du point de départ?

c) À partir du point (0, 3), on effectue un déplacement horizontal de -5 et un déplacement vertical de +1. Quelles sont les coordonnées du point d'arrivée?

d) À partir du point (6, 6), on effectue un déplacement horizontal de +2 et un déplacement vertical de -10. Quelles sont les coordonnées du point d'arrivée?

9. Les sommets d'un rectangle sont A(-3, 4), B(1, 4), C(1, -6) et D(-3, -6). Trace un segment reliant les points A et C, puis B et D. Donne les coordonnées du point d'intersection de ces deux segments.

10. On a tracé un triangle dans un plan cartésien. Dans quel quadrant retrouvera-t-on ce triangle si l'on change :

a) le signe de l'abscisse des sommets?

b) le signe de l'ordonnée des sommets?

c) le signe de l'abscisse et celui de l'ordonnée des sommets?

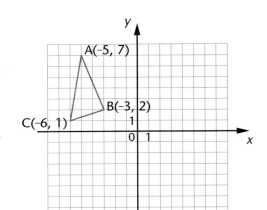

11. a) Dans un même plan, trace la droite passant par les points :

   1) M(-3, 0) et N(3, 6)   2) P(6, -1) et Q(-2, 7)

b) Quelles sont les coordonnées du point d'intersection des droites MN et PQ?

c) Quel angle est formé par l'intersection de ces deux droites?

12. Quelles sont les coordonnées du point milieu du segment dont les extrémités sont :

a) R(3, -5) et S(3, 7)?   b) T(-6, 4) et U(0, 6)?

13. Si les coordonnées du point A sont (20, 40), déduis celles des points B, C, D et E.

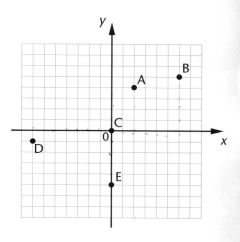

14. Suggère une façon de graduer les axes d'un plan cartésien pour représenter un point dont les coordonnées sont :

a) (50, 80) b) (4500, 3000) c) (-5, 600)

15. Dans le plan cartésien ci-contre, on a représenté la droite qui partage également le premier et le troisième quadrant. Qu'ont de particulier les coordonnées des points formant cette droite ?

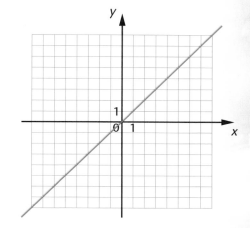

16. Voici les coordonnées des extrémités de quatre segments. Parmi ceux-ci, quel segment est :

a) le plus long ?

b) le plus court ?

c) le plus incliné par rapport à l'horizontale ?

$\overline{MN}$: M(-1, -1) et N(8, -1)

$\overline{RS}$: R(0, 0) et S(3, 2)

$\overline{TU}$: T(1, 1) et U(3, 8)

$\overline{VW}$: V(-7, 0) et W(-3, 1)

Le segment dont les extrémités sont A et B est noté $\overline{AB}$.

17. On a tracé un cercle dans un plan cartésien.

a) Quelles sont les coordonnées du centre de ce cercle ?

b) Donne les coordonnées des points d'intersection de ce cercle avec les axes.

c) Combien de points à coordonnées entières trouve-t-on à l'intérieur de ce cercle ?

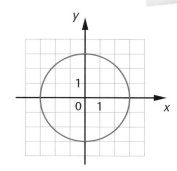

18. FUSÉE Le nez d'une fusée est généralement recouvert de tuiles thermiques. Ces tuiles qui résistent à la chaleur empêchent la fusée de s'enflammer lorsqu'elle voyage à haute vitesse dans l'atmosphère. Ce graphique montre l'altitude du nez d'une fusée par rapport au sol lors d'un décollage.

Décollage d'une fusée

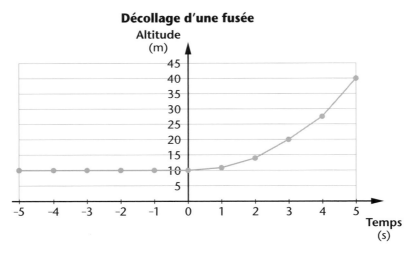

a) En tenant compte du contexte, donne la signification des coordonnées (-4, 10).

b) Pour chacune des illustrations suivantes, donne les coordonnées d'un point du graphique qui peut lui être associé.

c) D'après les illustrations ci-contre, estime la hauteur de la tour située à côté de la fusée.

d) La cabine des astronautes est située à 3 m du nez de la fusée. Trace le graphique qui montre l'altitude de la cabine par rapport au sol pour la période de temps allant de -5 s à 5 s.

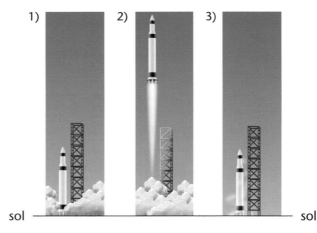

19. Voici deux des quatre sommets d'un carré. Combien de carrés est-il possible de compléter à partir de ces sommets? Dans chacun des cas, donne les coordonnées des deux autres sommets.

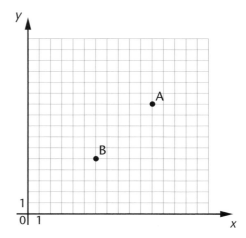

PROJET Cette unité t'aidera à réaliser les parties 2 et 3 de ton projet.

SITUATION-PROBLÈME Le bilan

William est propriétaire de deux parcs aquatiques qui sont opérationnels du mois de juin au mois de septembre. Une fois la saison estivale terminée, William établit toujours un bilan pour connaître la rentabilité de son entreprise.

Voici les données dont il dispose pour faire ses calculs.

> Un bilan permet à une personne ou à une entreprise de faire le point sur ses avoirs.

Investissements durant l'entre-saisons

Glissade pour le parc n° 1 : 60 000 $

Glissade pour le parc n° 2 : 40 000 $

Revenus de l'année précédente

	Parc n° 1	Parc n° 2
Juin	-100 000 $	-60 000 $
Juillet	120 000 $	200 000 $
Août	160 000 $	290 000 $
Septembre	10 000 $	-100 000 $

Revenus de l'année actuelle

	Parc n° 1	Parc n° 2
Juin	-30 000 $	-70 000 $
Juillet	170 000 $	240 000 $
Août	-20 000 $	330 000 $
Septembre	90 000 $	-80 000 $

L'investissement de William a-t-il été rentable ?

PISTES D'EXPLORATION...

- As-tu comparé les revenus de l'année actuelle à ceux de l'année précédente ?
- Est-ce que l'utilisation de tableaux ou de graphiques t'aiderait à expliquer ton point de vue ?

ACTIVITÉ **Des jetons opposés**

On peut représenter un nombre entier positif
en utilisant des jetons qui ont chacun une valeur
de +1. Pour ce faire, on utilise autant de jetons qu'il
y a d'unités dans le nombre. Par exemple :

5

De la même façon, on peut aussi représenter
un nombre entier négatif à l'aide de jetons ayant
une valeur de -1. Par exemple :

-3

ADDITION

a. On associe souvent l'addition à l'idée d'ajouter. Dans cet esprit,
on a représenté les opérations 3 + 8 et -6 + -4 à l'aide de jetons.

3 + 8   -6 + -4

Dans chaque cas, illustre le résultat final à l'aide de jetons et donne ce résultat.

b. Détermine la somme de 1 et de son opposé à l'aide de l'illustration ci-dessous.

1 + -1   =

c. Quelle propriété de l'addition permet d'affirmer que 1 + -1 = -1 + 1 ?

d. On a illustré le résultat de quelques additions. Dans chaque cas, écris l'opération
effectuée et donne son résultat.

1)
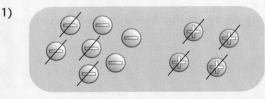

2)
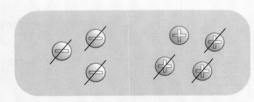

3)

4)
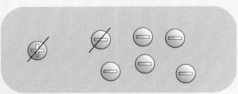

e. Effectue les additions suivantes. Au besoin, utilise des jetons pour illustrer l'opération.

1) 6 + -2   2) -8 + -2   3) -12 + 4

4) -5 + 10   5) 4 + -4   6) -6 + -3

SOUSTRACTION

a. On associe souvent la soustraction à l'idée de retrancher. Dans cet esprit, on a représenté les opérations 9 – 3 et ⁻7 – ⁻2 à l'aide de jetons.

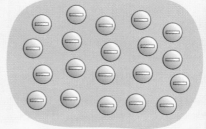

$9 – 3$ ⁻7 – ⁻2

Dans chaque cas, illustre le résultat final à l'aide de jetons et donne ce résultat.

b. Voici un groupe de jetons représentant le nombre ⁻20. En retirant des jetons de ce groupe, effectue les soustractions suivantes.

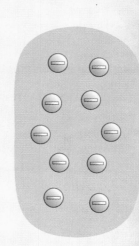

1) ⁻20 – ⁻7   2) ⁻20 – ⁻15

3) ⁻20 – 0   4) ⁻20 – ⁻20

c. On a illustré le résultat de quelques soustractions. Dans chaque cas, écris l'opération illustrée et donne son résultat.

1)
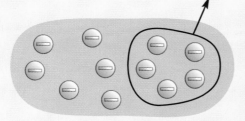

2)
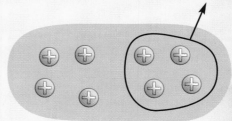

3)

4)
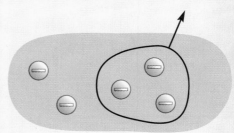

d. Voici un groupe de jetons représentant le nombre ⁻10.

1) Combien de jetons ⊖ dois-tu retrancher de ce groupe pour que sa valeur soit de ⁻6?

2) Combien de jetons ⊕ dois-tu ajouter à ce groupe pour que sa valeur soit de ⁻6?

3) Quel nombre dois-tu soustraire de ⁻10 pour obtenir ⁻3?

4) Quel nombre dois-tu additionner à ⁻10 pour obtenir ⁻3?

5) Propose deux façons différentes d'obtenir ⁻8 à partir du nombre ⁻10. Au besoin, utilise des jetons pour t'aider.

e. Dans chacun des cas proposés, vérifie le fait que soustraire un nombre revient à additionner son opposé. Au besoin, utilise des jetons pour illustrer ces opérations.

1) $7 - 2 = 7 + {}^-2$

2) ${}^-4 - {}^-3 = {}^-4 + 3$

f. Sans changer le premier terme de l'opération, transforme chacune des soustractions suivantes en une addition équivalente et donnes-en le résultat.

1) ${}^-15 - {}^-10$

2) $10 - 30$

3) ${}^-3 - 5$

4) ${}^-12 - 8$

5) ${}^-9 - 20$

6) ${}^-4 - {}^-11$

Calepin des savoirs

Addition de nombres entiers

- La somme de deux nombres entiers positifs est un nombre entier positif.

  Ex. : $18 + 20 = 38$

- La somme de deux nombres entiers négatifs est un nombre entier négatif.

  Ex. : ${}^-8 + {}^-7 = {}^-15$

- La somme d'un nombre entier positif et d'un nombre entier négatif est du signe du nombre entier le plus éloigné de 0.

  Ex. : 1) ${}^-15 + 5 = {}^-10$

  -20 -15 -10 -5 0 5 10

  2) ${}^-20 + 80 = 60$

  -40 -20 0 20 40 60 80 100

- La somme de deux nombres opposés est toujours 0.

  Ex. : 1) ${}^-6 + 6 = 0$ 2) $51 + {}^-51 = 0$

Soustraction de nombres entiers

Soustraire un nombre revient à additionner son opposé.

Ex. : 1) ${}^-12 - 5 = {}^-12 + {}^-5 = {}^-17$ 2) $26 - {}^-14 = 26 + 14 = 40$

1. Calcule mentalement les sommes et les différences.

   a) 5 + ⁻6   b) ⁻3 + 10   c) ⁻9 + ⁻7   d) 11 + ⁻11

   e) ⁻6 – ⁻3   f) ⁻9 – 1   g) 0 – ⁻4   h) 8 – ⁻9

2. On peut illustrer des déplacements sur une droite numérique. Pour ce faire, on accompagne la valeur d'un déplacement du signe «⁺» pour indiquer qu'il se fait vers la droite et du signe «⁻» pour indiquer qu'il se fait vers la gauche. En partant de 0, on peut représenter 6 + ⁻11 de la façon suivante. Le résultat (⁻5) correspond au point d'arrivée.

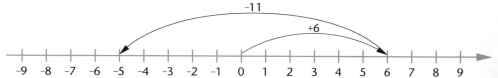

   Écris l'addition qui est représentée par les déplacements ci-dessous et donnes-en le résultat.

   a)

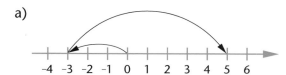

   b)

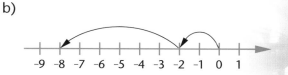

3. Détermine d'abord le signe de la somme, puis calcule-la.

   a) ⁻44 + 69   b) ⁻107 + ⁻38   c) 89 + ⁻119

   d) 767 + 589   e) ⁻1290 + 751   f) 715 + ⁻435

4. Complète chacune des séquences suivantes.

   a)
7 – 4 = 3
7 – 5 = 2
7 – 6 = ▬
7 – 7 = ▬
7 – 8 = ▬

   b)
9 + 2 = 11
9 + 1 = 10
9 + 0 = ▬
9 + ⁻1 = ▬
9 + ⁻2 = ▬

   c)
12 – 2 = 10
12 – 1 = 11
12 – 0 = ▬
12 – ⁻1 = ▬
12 – ⁻2 = ▬

5. Sans changer le premier terme de l'opération, transforme chacune de ces soustractions en une addition équivalente et donnes-en le résultat.

   a) ⁻25 – ⁻12   b) 8 – 17   c) ⁻14 – 9   d) ⁻24 – 11

6. Détermine d'abord le signe de la différence, puis calcule-la.

   a) ⁻14 – 60

   b) 22 – ⁻34

   c) 66 – 48

   d) ⁻84 – ⁻62

   e) ⁻618 – 420

   f) 1024 – ⁻512

7. Les résultats des additions ci-contre mettent une caractéristique en évidence. Laquelle?

```
⁻35+35              0
89+ ⁻89             0
⁻N+N                0
```

8. Quel nombre entier faut-il ajouter à :

   a) 8 pour obtenir 4?

   b) 7 pour obtenir 12?

   c) ⁻4 pour obtenir 2?

   d) 5 pour obtenir ⁻5?

   e) ⁻8 pour obtenir ⁻20?

   f) 19 pour obtenir 0?

9. Quelle expression donne le plus grand résultat?

   a) **1** 8 – 7   **2** 8 – ⁻7   **3** ⁻7 + ⁻8   **4** ⁻8 – ⁻7

   b) **1** 5 – 9   **2** 5 + ⁻9   **3** ⁻5 – ⁻9   **4** ⁻9 – ⁻5

   c) **1** ⁻3 + 6   **2** ⁻3 – 6   **3** 3 + ⁻6   **4** 3 – 6

10. Détermine les trois prochains termes dans chacune de ces suites.

    a) ⁻7, ⁻14, ⁻21, …

    b) 38, 28, 18, …

    c) ⁻68, ⁻56, ⁻44, ⁻32, …

11. MÉTAUX Le mercure est un métal de couleur argentée. La différence entre le point d'ébullition et le point de congélation du mercure est de 396 °C. Si le mercure gèle à ⁻39 °C, quel est son point d'ébullition?

    Le mercure est considéré comme une substance toxique pour l'environnement. C'est pourquoi le simple bris d'un thermomètre à mercure doit être traité avec précaution afin de minimiser les sources de contamination.

12. Détermine d'abord le signe du nombre manquant, puis indique ce nombre.

    a) 45 – ▧ = 62

    b) ▧ + 57 = 5

    c) ▧ – 14 = ⁻21

    d) ▧ + ⁻10 = ⁻73

    e) ⁻38 – ▧ = ⁻39

    f) ⁻25 + ▧ = 90

13. Détermine la somme de tous les nombres entiers :

    a) de ⁻5 à 5;

    b) de ⁻40 à 41;

    c) de ⁻111 à 110;

    d) de ⁻35 à 30.

14. On a placé trois punaises dans un plan cartésien. Quelles seront les coordonnées de chacune de ces punaises après :

a) un déplacement horizontal de ⁺7 et un déplacement vertical de ⁻2?

b) un déplacement horizontal de ⁻3 et un déplacement vertical de ⁺5?

c) un déplacement horizontal de ⁻2 et un déplacement vertical de ⁻6?

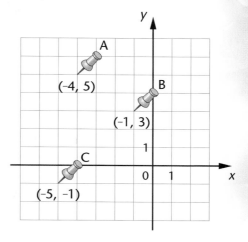

15. Calcule la valeur des chaînes d'opérations suivantes.

a) ⁻13 + ⁻5 − ⁻4

b) (9 − 7) − (4 − ⁻6)

c) 9 + ⁻3 + 7 − 48 ÷ 2

d) 4 − (⁻9 + 4 × 3) − 1

16. Comment peux-tu effectuer les opérations suivantes à l'aide d'une calculatrice sans utiliser la touche +/− ?

a) ⁻19 756 + ⁻35 476

b) 193 745 − ⁻243 000

c) ⁻83 045 − 111 534

d) ⁻45 740 + 50 000

17. MATHÉMATICIEN Albert Girard (1595-1632) proposa une interprétation des nombres négatifs : selon lui, le signe «⁻» correspondait à reculer et le signe «⁺», à avancer. Voici une série de déplacements effectués l'un à la suite de l'autre par une personne :

> ⁺32 m   ⁻17 m   ⁺5 m   ⁻40 m   ⁺12 m   ⁻8 m

a) Globalement, cette personne a-t-elle avancé ou reculé?

b) Quelle est la distance totale parcourue par cette personne?

c) À quelle distance du point de départ cette personne s'est-elle immobilisée?

18. HISTOIRE Voici trois personnages qui ont marqué l'histoire.

a) En quelle année est décédé Aristote, né en ⁻384, et qui a vécu 62 ans?

b) En quelle année est né Thalès de Milet qui a vécu 79 ans et qui est décédé en ⁻546?

c) Combien d'années a vécu Alexandre le Grand né en ⁻356 et décédé en ⁻323?

Aristote,
philosophe grec

Thalès de Milet,
mathématicien,
physicien, astronome
et philosophe grec

Alexandre le Grand,
roi de Macédoine

19. Le tableau ci-dessous présente le bilan personnel d'un particulier pour les six premiers mois de l'année. Complète-le.

	A	B	C	D
1	**Bilan personnel**			
2				
3	**Mois**	**Revenus ($)**	**Dépenses ($)**	**Bilan ($)**
4				
5	Janvier	1680	1690	-10
6	Février	1565	1354	
7	Mars	1764		584
8	Avril	1230	1453	
9	Mai		900	-85
10	Juin	1320	1221	
11				
12			Total	

Lorsqu'on utilise un tableur pour établir un bilan, on inscrit fréquemment les surplus ou les profits en bleu, et les manques à gagner ou les pertes en rouge.

20. Les énoncés suivants sont-ils vrais ou faux? Explique tes réponses.

a) La différence entre deux nombres opposés est toujours 0.

b) Pour additionner deux nombres négatifs, on peut simplement les additionner sans leur signe et mettre le signe « - » devant le résultat.

21. POPULATION Plusieurs éléments influencent la variation de la population d'un pays : le nombre de naissances et de décès, l'immigration et l'émigration. Ce tableau montre la variation de la population d'un pays pour quelques années.

Population d'un pays

Année	Variation de la population
1999	-115 254
2000	12 054
2001	-215
2002	213 645
2003	18 009
2004	-17
2005	-44 740

Un immigrant ou une immigrante est une personne qui arrive dans un pays pour s'y installer. Un émigrant ou une émigrante est une personne qui quitte son pays pour s'établir dans un autre pays.

En juillet 2004, la population canadienne était de 31 946 316 personnes.

a) De 1999 à 2005, au cours de quelles années y a-t-il eu plus de décès et d'émigration que de naissances et d'immigration dans ce pays?

b) Si la population de ce pays était de 8 775 633 personnes en 1998, quelle était sa population à la fin de 2005?

c) Quelle a été la variation moyenne de la population dans ce pays de 1999 à 2005?

22. Illustre chacun des énoncés suivants à l'aide d'un exemple numérique.

   a) La différence entre deux nombres de signes contraires est ⁻12.

   b) La somme de deux nombres de signes contraires est ⁻5.

   c) La somme de deux nombres opposés est 0.

   d) La différence entre deux nombres positifs est ⁻1.

Hawaï

23. MONTAGNE On dit que l'Everest est le «toit du monde» à cause de l'altitude de son sommet, qui atteint 8850 m au-dessus du niveau de la mer. Pour sa part, la base du volcan hawaiien Mauna Kea se trouve à ⁻5995 m par rapport au niveau de la mer, et le sommet de ce volcan culmine à 4205 m au-dessus du niveau de la mer.

Devrait-on continuer à dire que l'Everest est le «toit du monde»? Explique ta réponse.

Au sommet du Mauna Kea, qui se trouve au-dessus des nuages, on a installé les plus grands télescopes du monde. Ce site est idéal pour l'astronomie car l'air y est rare, froid et sec.

ZOOM

① a) Dans une addition de nombres entiers, la somme est-elle toujours supérieure aux termes qui la composent?

   b) Dans une soustraction de nombres entiers, la différence est-elle toujours inférieure au premier terme de cette soustraction?

On peut affirmer qu'un énoncé est vrai si et seulement s'il est toujours vrai. Il suffit d'un seul contre-exemple pour affirmer qu'un énoncé est faux.

② Pour additionner deux nombres entiers de signes contraires, une personne suggère de procéder de la façon suivante.

Sans se préoccuper des signes, on soustrait le plus petit nombre entier du plus grand et l'on donne au résultat le signe de celui qui est le plus éloigné de zéro.

Qu'en penses-tu? Accompagne ton explication d'un exemple.

Unité 3.4 : Une histoire de signes

SITUATION-PROBLÈME Réchauffement de la planète

Selon les spécialistes en météorologie, le climat de la planète se réchauffe de plus en plus et la température moyenne du globe pourrait augmenter d'environ 3 °C au cours des 100 prochaines années.

Voici le calendrier des mois de mars 1980 et 2005. Chaque température inscrite correspond à la température enregistrée à 16:00 cette journée-là à une station météorologique de l'Estrie. Les températures manquantes sont identiques et la moyenne mensuelle en mars 2005 a été de -4 °C.

Mars 1980

Dim	Lun	Mar	Mer	Jeu	Ven	Sam
						-5
	-12	-7	-3	2	-4	-9
-5		2	1	-11		-5
-10	-8	0		-5	-8	-4
3	-7	1	-5	-6		-7
-1						

Mars 2005

Dim	Lun	Mar	Mer	Jeu	Ven	Sam
	-9		-8	-6	-2	
3	4	-3	-5	3	-10	-4
	-14		-18	-6	-1	-5
1	-1	-4	0		6	
2		-7	-1	3		

> Si la tendance se poursuit au cours des 100 prochaines années, l'augmentation de la température moyenne en Estrie sera-t-elle aussi importante que celle prévue pour le globe ?

PISTES D'EXPLORATION...

- As-tu déterminé les températures manquantes dans les calendriers ?
- As-tu comparé les moyennes mensuelles des températures de mars 1980 et mars 2005 ?
- Sur quelle période de temps les deux calendriers fournis permettent-ils de porter un jugement ?

ACTIVITÉ 1 D'autres jetons

Comme on l'a fait pour l'addition et la soustraction, il est possible de représenter la multiplication et la division de nombres entiers à l'aide de jetons.

MULTIPLICATION

a. La multiplication est une opération qui suggère la répétition d'un même nombre. On a représenté ci-dessous les opérations 5 × 2 et 4 × -3 à l'aide de jetons.

Calcule le résultat de chacune de ces opérations.

5 × 2

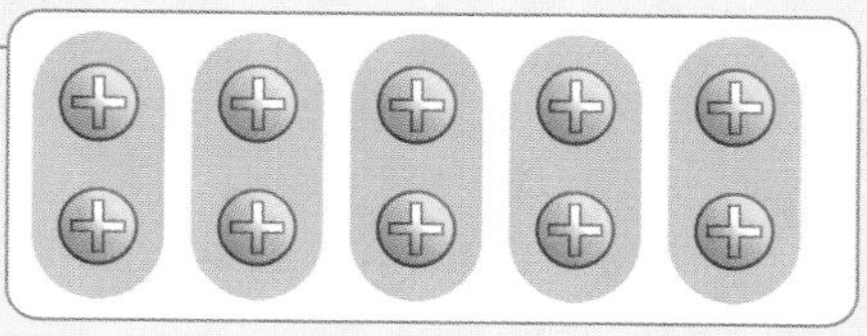

4 × -3

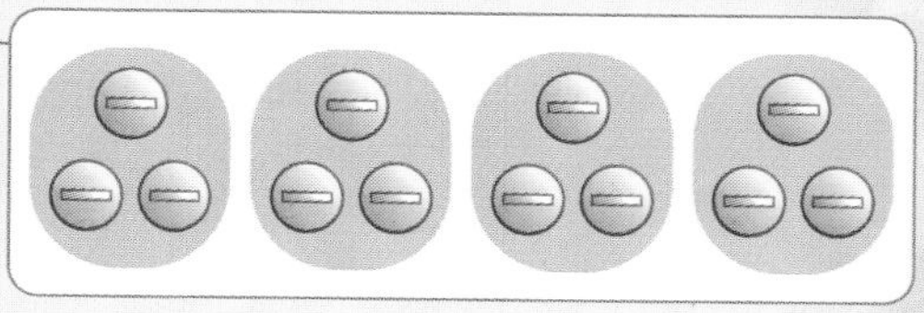

b. Effectue les multiplications suivantes. Au besoin, utilise des jetons pour illustrer les opérations.

1) 6 × -2 2) 3 × -9 3) 4 × 5 4) 8 × -1

c. Quelle propriété de la multiplication permet d'affirmer que 7 × -4 = -4 × 7?

d. Reproduis les séquences suivantes et complète-les.

1)	2)
5 × 4 = 20	-5 × 4 = -20
5 × 3 = 15	-5 × 3 = -15
5 × 2 = 10	-5 × 2 = -10
5 × 1 =	-5 × 1 =
5 × 0 =	-5 × 0 =
5 × -1 =	-5 × -1 =
5 × -2 =	-5 × -2 =
5 × -3 =	-5 × -3 =

e. La règle des signes de la multiplication permet de déterminer le signe du produit. D'après les modèles précédents, de quel signe est le produit :

1) de deux facteurs positifs?
2) d'un facteur positif par un facteur négatif?
3) d'un facteur négatif par un facteur positif?
4) de deux facteurs négatifs?

DIVISION

a. On associe souvent la division à l'idée de partager également un nombre.
On a représenté ci-dessous les opérations 8 ÷ 2 et ⁻6 ÷ 3 à l'aide de jetons.

Quel est le résultat de chacune de ces opérations ?

b. Voici un groupe de jetons représentant le nombre ⁻18.

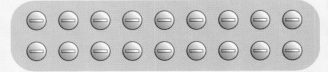

En partageant ces jetons en plusieurs groupes identiques, détermine le quotient de chacune des divisions suivantes.

1) ⁻18 ÷ 6   2) ⁻18 ÷ 9   3) ⁻18 ÷ 2   4) ⁻18 ÷ 18

c. La division étant l'opération inverse de la multiplication, la règle des signes de la division est compatible avec celle de la multiplication.

De quel signe est le quotient :

1) de deux nombres positifs ?

2) d'un nombre positif par un nombre négatif ?

3) d'un nombre négatif par un nombre positif ?

4) de deux nombres négatifs ?

ACTIVITÉ ❷ Décoder le symbolisme

L'exponentiation étant une opération qui fait intervenir la multiplication, la règle des signes de l'exponentiation est compatible avec celle de la multiplication.
On a calculé quelques puissances à l'aide de la calculatrice.

❶   ❷   ❸

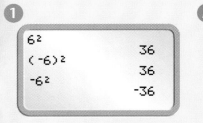

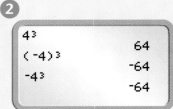

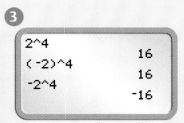

a. Dans l'écran ❶, quelle expression correspond à :

1) ⁻6 × ⁻6 ?   2) ⁻(6 × 6) ?

b. Dans l'écran **2**, quelle expression correspond à :

1) $^-4 \times {}^-4 \times {}^-4$?

2) $^-(4 \times 4 \times 4)$?

c. Quelle est la signification du symbole « ∧ » utilisé dans l'écran **3** ?

d. Explique comment on peut déduire simplement le signe du résultat de chacune des expressions suivantes.

1) $(^-10)^8$

2) $^-7^6$

3) $(^-5)^7$

4) $^-3^9$

Calepin des **savoirs**

Multiplication et division de nombres entiers

Les **règles des signes** de la **multiplication et de la division** sont les mêmes.

- Le produit ou le quotient de **deux nombres entiers de même signe est positif.**

  Ex. : 1) $4 \times 6 = 24$

  2) $^-35 \div {}^-5 = 7$

- Le produit ou le quotient de **deux nombres entiers de signes contraires est négatif.**

  Ex. : 1) $^-4 \times 6 = {}^-24$

  2) $35 \div {}^-5 = {}^-7$

> Rappelons que la division par 0 n'est pas définie.

Exponentiation

Pour l'exponentiation, on applique les règles des signes de la multiplication. On convient de toujours placer un nombre négatif entre parenthèses si l'on désire l'affecter d'un exposant. Ainsi, le carré de $^-2$ s'écrit $(^-2)^2$ et sa puissance est 4. On évite ainsi toute confusion avec l'opposé du carré de 2, qui s'écrit $^-2^2$ et qui est $^-4$.

Ex. : 1) $(^-5)^2 = {}^-5 \times {}^-5 = 25$

2) $^-5^2 = {}^-(5 \times 5) = {}^-25$

3) $(^-5)^3 = {}^-5 \times {}^-5 \times {}^-5 = {}^-125$

4) $^-5^3 = {}^-(5 \times 5 \times 5) = {}^-125$

1. Calcule mentalement les produits et les quotients suivants.

   a) $^-8 \times 4$ b) $5 \times {}^-6$ c) $^-9 \times {}^-7$ d) $11 \times {}^-10$

   e) $^-6 \div {}^-3$ f) $25 \div {}^-5$ g) $^-9 \div 9$ h) $0 \div {}^-4$

2. Indique seulement si le nombre manquant est positif ou négatif.

   a) $^-2 \times$ ▬ $= {}^-24$ b) ▬ $\times {}^-19 = 38$ c) ▬ $\times 3 = {}^-63$

   d) $^-63 \div$ ▬ $= {}^-7$ e) ▬ $\div 16 = {}^-2$ f) ▬ $\div {}^-1 = 8$

3. Détermine d'abord le signe du produit, puis calcule-le.

   a) $^-12 \times {}^-15$ b) $21 \times {}^-17$ c) $^-101 \times 18$

   d) $^-90 \times 11$ e) 251×7 f) $^-5 \times 1572$

4. Estime chaque produit.

   a) $^-19 \times 9$ b) $^-21 \times {}^-98$ c) $^-5 \times {}^-41$ d) $49 \times {}^-61$

5. La température d'une substance est actuellement de $^-31$ °C. Quelle sera sa température dans 5 h si elle monte de :

   a) 4 °C par heure ?   b) 7 °C par heure ?

6. Dans chaque cas, indique le quotient qui est supérieur aux autres.

   a) **1** $^-63 \div 9$ **2** $^-48 \div {}^-24$ **3** $72 \div {}^-8$

   b) **1** $^-36 \div {}^-4$ **2** $^-56 \div {}^-8$ **3** $^-81 \div 1$

   c) **1** $^-84 \div 7$ **2** $108 \div {}^-9$ **3** $^-72 \div {}^-6$

7. Les expressions suivantes sont-elles exactes ? Pourquoi ?

   a) $^-2 \times {}^-3 > 12 \div {}^-2$ b) $^-24 \div {}^-2 > {}^-2 \times 24$ c) $^-1 \div {}^-1 < 1 \times 1$

8. Détermine le nombre qui, sur une droite numérique, est situé à mi-chemin entre :

   a) $^-317$ et $^-105$ b) $^-66$ et 202 c) $^-390$ et 52

9. Utilise la notation exponentielle pour simplifier l'écriture des multiplications suivantes.

a) $^-4 \times ^-4 \times ^-4 \times ^-4 \times ^-4$

b) $^-11 \times ^-11 \times ^-11 \times ^-11$

c) $7 \times 7 \times ^-10 \times ^-10 \times ^-10$

d) $^-2 \times ^-2 \times ^-2 \times ^-5 \times ^-5 \times ^-5 \times ^-5$

10. Détermine le signe du résultat de chacune des expressions suivantes où « + » et « − » représentent respectivement un nombre positif et un nombre négatif.

Multiplication	Division	Exponentiation
a) $(+) \times (+) \times (-)$	d) $(-) \div (+)$	g) $(-)^6$
b) $(+) \times (+) \times (-) \times (-)$	e) $(+) \div (-) \div (+)$	h) $(+)^7$
c) $(-) \times (+) \times (-) \times (+) \times (-)$	f) $(-) \div (-) \div (+) \div (+)$	i) $(-)^9$

11. On a tracé un triangle dans un plan cartésien.

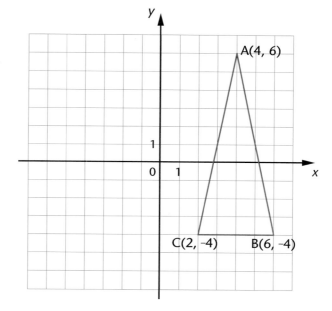

a) Reproduis le plan cartésien et la figure ci-dessus.

b) Dans le même plan cartésien :

1) trace en bleu la figure obtenue après avoir divisé l'ordonnée de chaque sommet du triangle par $^-2$;

2) trace en vert la figure obtenue après avoir multiplié l'abscisse de chaque sommet du triangle initial par $^-1$.

12. Détermine d'abord le signe du quotient, puis calcule-le.

a) $^-195 \div 13$

b) $^-154 \div ^-7$

c) $84 \div 6$

d) $693 \div ^-33$

e) $^-3015 \div 15$

f) $^-244 \div ^-61$

13. a) Quel nombre entier transforme par multiplication tout nombre entier en son opposé?

b) Quel nombre entier transforme par division tout nombre entier en son opposé?

14. ASTRONOMIE Sur la planète Mercure, la température passe en 12 h de 360 °C le jour à ⁻180 °C la nuit. Quelle est la variation moyenne de température par heure?

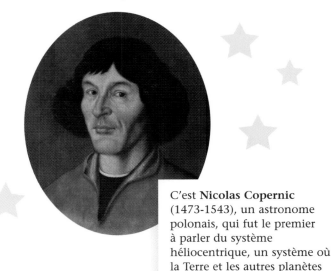

C'est **Nicolas Copernic** (1473-1543), un astronome polonais, qui fut le premier à parler du système héliocentrique, un système où la Terre et les autres planètes gravitent autour du Soleil.

15. Si tu multiplies trois nombres entiers non nuls, quelles sont toutes les possibilités des signes qui permettent d'obtenir un produit négatif?

16. Xavier effectue avec la calculatrice la chaîne d'opérations ⁻41 × ⁻63 ÷ ⁻7 × ⁻101 et obtient ⁻37 269. Sans faire de calcul, Paolo lui signale, avec raison, qu'il y a une erreur. Comment Paolo a-t-il fait pour s'en rendre compte?

17. Sachant que chaque unité du plan cartésien ci-contre équivaut à 1 m, détermine l'aire du rectangle.

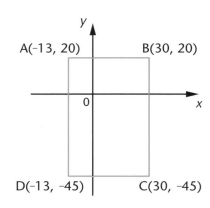

18. Détermine les deux nombres entiers dont :

a) le carré est 36;

b) la somme est 0 et le produit est ⁻49;

c) le quotient est ⁻1 et le produit est ⁻81.

19. Évalue les chaînes d'opérations suivantes.

a) $5 \times {}^-2 \times 9$

b) $^-1 \times 53 \times {}^-1$

c) $(^-10)^5$

d) $^-4 \times (^-24 \div 6)$

e) $^-48 \div 6 \div {}^-2$

f) $^-32 \div 4 \times 17$

20. Dans chaque cas, calcule la moyenne des nombres.

    a) ⁻127, ⁻111, ⁻71, ⁻3

    b) ⁻68, ⁻44, ⁻8, 3, 17, 70

    c) ⁻5, ⁻7, ⁻15, ⁻31, ⁻60

21. CHARBON Dans une mine de charbon, on compte cinq galeries souterraines. On accède à ces galeries par un ascenseur. La première galerie est située à ⁻28 m par rapport à la surface de la terre et la dernière galerie, à ⁻152 m. Si l'ascenseur parcourt exactement la même distance pour aller d'une galerie à la suivante, indique la position de chacune des trois autres galeries par rapport à la surface de la terre.

Le charbon est la deuxième ressource la plus utilisée, après le pétrole, pour répondre aux besoins énergétiques mondiaux.

22. Les énoncés suivants sont-ils vrais ou faux ? Appuie tes réponses d'un exemple.

    a) Le produit de deux nombres entiers est un nombre entier.

    b) Le quotient de deux nombres entiers est un nombre entier.

23. On demande à deux élèves d'écrire l'expression correspondant à l'opposé de 8 au carré à l'aide de la notation exponentielle et d'en donner le résultat. La première personne fournit la réponse $(-8)^2 = 64$ et la seconde, $-8^2 = -64$. Qui a raison ?

ZOOM

1 Que peut-on affirmer à propos du signe :

    a) du produit ou du quotient d'un nombre pair de nombres entiers négatifs ?

    b) du produit ou du quotient d'un nombre impair de nombres entiers négatifs ?

2 Que peut-on affirmer à propos du signe de la puissance d'un nombre entier négatif affecté :

    a) d'un exposant pair ?   b) d'un exposant impair ?

Société des maths

Sa vie

D'Alembert fut abandonné à l'entrée de l'église Saint-Jean-Le-Rond à sa naissance. C'est à l'orphelinat qu'on le baptisa Jean Le Rond d'Alembert, en mémoire de l'endroit où il avait été trouvé. Plus tard, il fut élevé par la femme d'un vitrier qui accepta de subvenir à ses besoins.

Il entra au collège des Quatre-Nations à 12 ans et démontra rapidement un talent pour les langues anciennes et la philosophie. D'Alembert était exceptionnellement doué pour les mathématiques. Après avoir fait des études en droit et en médecine, il décida de consacrer sa carrière aux mathématiques. À 24 ans, d'Alembert fut admis à l'Académie des sciences en tant qu'astronome. En 1754, il devint membre de la célèbre Académie française.

Jean Le Rond d'Alembert
(1717-1783)

L'Académie française, fondée en 1635, est composée de 40 membres issus de plusieurs milieux. Elle doit veiller sur la qualité et l'évolution de la langue française en élaborant un dictionnaire qui régit l'usage de la langue.

Ses écrits

Grâce à ses travaux en mathématiques et en physique, d'Alembert jouissait d'une grande réputation dans toute l'Europe. Amoureux des sciences, il se passionnait aussi pour l'astronomie. Il a d'ailleurs rédigé un *Traité sur les équinoxes*. L'équinoxe est le moment de l'année où la durée du jour est égale à la durée de la nuit d'un cercle polaire à l'autre.

D'Alembert et son ami Denis Diderot, écrivain et philosophe français, sont les auteurs d'un dictionnaire scientifique nommé *l'Encyclopédie* comportant plusieurs volumes. Pour d'Alembert, qui a écrit la plupart des articles sur les mathématiques que l'on trouve dans *l'Encyclopédie,* il s'agit de sa plus célèbre contribution à la science.

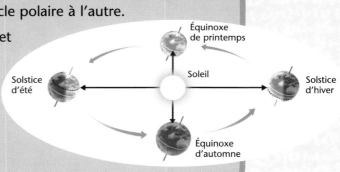

Équinoxe de printemps

Solstice d'été

Soleil

Solstice d'hiver

Équinoxe d'automne

Dans ses écrits, d'Alembert avait le souci de vulgariser ses explications et ses définitions. D'ailleurs, il disait : « On ne saurait rendre le langage trop simple et pour ainsi dire trop populaire. » Et « C'est presque le sort de toutes les sciences d'être chargées de mots scientifiques assez inutiles. »

Jean Le Rond d'Alembert

D'Alembert et les nombres négatifs

Dans le premier tome de l'*Encyclopédie,* paru en 1751, on trouve des explications relatives à l'interprétation des nombres négatifs. On peut y lire :

- Les quantités négatives sont celles qui sont affectées du signe «⁻».

- Les quantités négatives sont le contraire des quantités positives.

- Où le positif finit, le négatif commence.

- Si je dis qu'un homme a donné à un autre ⁻3 écus, cela veut dire qu'il lui a ôté 3 écus.

On y trouve même des calculs numériques et algébriques, c'est-à-dire avec des lettres, faisant intervenir des nombres négatifs. Par exemple, on peut y voir :

- L'égalité $1^2 = (\text{-}1)^2$.

- Si $x + 100 = 50$, alors $x = \text{-}50$.

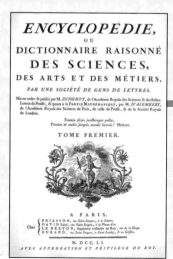

L'Encyclopédie est devenu un ouvrage de référence dans le monde de la science. Sa structure a même servi de modèle de publication. C'est de là que provient le terme « encyclopédie » que l'on utilise aujourd'hui pour décrire un dictionnaire qui traite des connaissances humaines.

À TOI DE JOUER

1 D'Alembert dit que «où le positif finit, le négatif commence». Selon toi, à quoi fait-il référence ? Explique ta réponse.

2 D'Alembert adorait l'algèbre. Détermine la valeur de n dans les expressions suivantes.
 a) $(\text{-}5)^4 = n$
 b) $n + 33 = \text{-}14$
 c) $99 - n = 200$

3 Quelles sont les valeurs possibles de n si $n^4 = 81$?

À TOI DE CHERCHER

4 Dans l'illustration de la page précédente, la Terre tourne autour du Soleil dans le sens antihoraire, c'est-à-dire dans le sens contraire à celui des aiguilles d'une montre. En mathématique, le sens de rotation horaire correspond-il au sens de rotation positif ou au sens de rotation négatif ?

5 a) L'équinoxe est le moment de l'année où la durée du jour est égale à celle de la nuit. En est-il de même pour les solstices ? Explique ta réponse.

 b) Quel lien existe-t-il entre les équinoxes, les solstices et les saisons ?

Une carte topographique, c'est quoi ?

Au cours des siècles, l'être humain a affronté
d'innombrables dangers pour explorer
son environnement. Parmi ceux-ci, il y avait le risque
de se perdre. C'est pourquoi les cartes topographiques
sont utilisées depuis l'Antiquité. Une carte
topographique est une représentation détaillée
des éléments naturels ou construits qui caractérisent
un lieu, comme les routes, les villes, les voies ferrées,
les cours d'eau, les montagnes et les forêts ;
ces éléments sont souvent accompagnés de leurs noms.

Que font les cartographes ?

Les cartographes ont pour tâche de représenter graphiquement les données géographiques
d'un endroit particulier. Pour accomplir leur travail, ils et elles utilisent des cartes, des atlas,
des photographies aériennes et même des images obtenues par satellite. Au besoin,
les cartographes se rendent sur les lieux pour effectuer des observations directes.

Longitude et latitude

Les cartographes ont imaginé plusieurs façons d'établir une position
donnée sur la Terre. L'une de ces façons a été d'envelopper le globe
d'une sorte de repère quadrillé. Grâce à ce système, chaque point sur
la surface terrestre peut être désigné au moyen de deux nombres
qui correspondent à sa longitude et à sa latitude.

La longitude indique la position
par rapport à une ligne traversant
Greenwich, une ville en banlieue
de Londres, en Angleterre.
Les longitudes sont numérotées
de -180° à l'ouest à +180° à l'est.
Greenwich correspond à
la longitude 0°.

La latitude indique la position
par rapport à l'équateur, qui se
trouve au milieu des deux pôles.
Les latitudes sont numérotées
de -90° au sud à +90° au nord.
L'équateur correspond à
la latitude 0°.

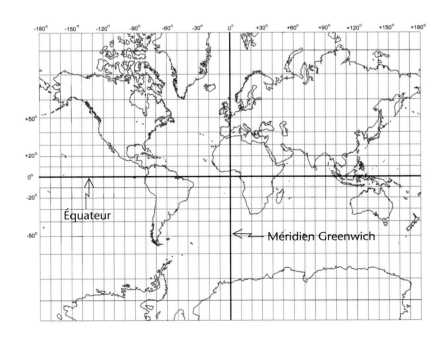

Courbes de niveau

On trouve sur certaines cartes des lignes courbes, appelées les courbes de niveau, qui sont utilisées pour représenter le relief. Elles indiquent l'élévation du terrain par rapport au niveau moyen de la mer. En utilisant des courbes de niveau avec des nombres négatifs, on peut décrire le relief des fonds marins.

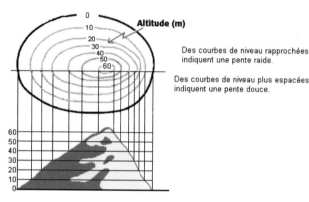

Des courbes de niveau rapprochées indiquent une pente raide.

Des courbes de niveau plus espacées indiquent une pente douce.

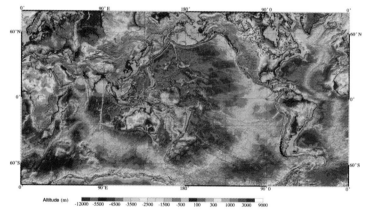

Qu'est-ce qu'un GPS ?

Le GPS (*Global Positioning System*) est un système de positionnement par satellites capable de donner une position précise n'importe où sur le globe. Dans la plupart des avions et des bateaux, on utilise ce genre de système pour s'orienter. Un appareil GPS indique la position à l'aide de trois mesures : la latitude par rapport à l'équateur, la longitude par rapport au méridien Greenwich et l'altitude par rapport au niveau de la mer.

1 Imagine que l'on superpose un système d'axes sur la carte du monde. À quoi pourrait-on faire correspondre :

   a) l'axe horizontal ?

   b) l'axe vertical ?

2 Si l'on donne la longitude suivie de la latitude, explique pourquoi le couple de coordonnées topographiques (+14°, -110°) n'a pas de sens.

3 Transforme chacune de ces coordonnées topographiques en remplaçant le point cardinal par le signe « + » ou « - ».

   a) Longitude : 17° O.

      Latitude : 64° N.

   b) Longitude : 100° E.

      Latitude : 12° S.

4 À l'aide de cette carte topographique comportant des courbes de niveau, dessine la vue de côté du relief du terrain cartographié.

À **TOI** DE CHERCHER

5 Trouve dans Internet une carte topographique sur laquelle on peut situer les principales rues entourant ton lieu de résidence.

6 Estime les mesures que donnerait un GPS pour indiquer la position de ton école.

1. Quel est le nombre entier divisible par 10 situé le plus près de chacun des nombres entiers suivants?

   a) ⁻34   b) ⁻87   c) ⁻24   d) ⁻3

2. Arrondis les nombres suivants à la centaine près.

   a) ⁻238   b) ⁻1759   c) 390   d) ⁻49

3. Quelles expressions sont équivalentes dans chacun des groupes suivants?

   a) **1** 12 − ⁻15   **2** 12 − 15   **3** ⁻15 + 12   **4** 15 + ⁻12

   b) **1** ⁻3 + ⁻20   **2** ⁻3 − ⁻20   **3** ⁻3 − 20   **4** 3 − 20

   c) **1** 1 − 17   **2** 17 − 1   **3** 1 − ⁻17   **4** 1 + ⁻17

4. Indique seulement si le résultat est positif ou négatif.

   a) ⁻12 × ⁻3 × ⁻5   b) 8 × ⁻4 × (6 − 8)   c) ⁻6 × (⁻3)^5

   d) 12 × (⁻2)^2 e) ⁻9 × 7 ÷ ⁻3   f) ⁻7 × (⁻80 ÷ ⁻10)

5. Détermine :

   a) deux additions de nombres négatifs dont le résultat est ⁻10;

   b) deux soustractions de nombres positifs dont le résultat est ⁻3;

   c) deux couples de nombres entiers dont la somme est 0;

   d) deux soustractions de nombres négatifs dont le résultat est 5;

   e) deux soustractions de nombres négatifs dont le résultat est ⁻2.

6. Détermine le pas de graduation des deux axes de chacun des plans cartésiens ci-dessous.

   a)

   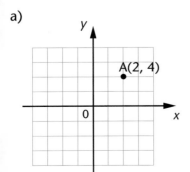

   b)

   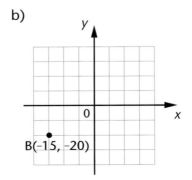

   c)

   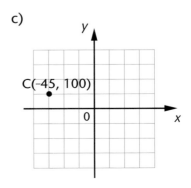

7. Détermine la valeur de n qui rend vraie l'expression donnée.

   a) $-7 + n = 77$ b) $n \times -13 = 13$ c) $n \times -7 = -147$

   d) $n \div -9 = -15$ e) $n - 12 = -92$ f) $n \div -1 = 103$

8. Pour chacune des suites ci-contre :

   a) décris ce que tu dois faire pour obtenir le terme qui suit ;

   b) donne les trois termes suivants.

   1 -50, -40, -30, ...

   2 -2, -6, -18, ...

   3 -5, -21, -37, ...

   4 1, -4, 16, ...

9. Calcule le résultat de chacune des chaînes d'opérations suivantes.

   a) $(-9 + -3) \times (-4 - -9)$ b) $20 - (-8 + -2 + 3 \times -2)$

   c) $(11 - -3 \times -4 + 12) \times -3$ d) $(-6 + 2 \times (3 - -6)) \times -4$

   e) $(3 + 2 \times (-24 \div 6) - 2) \div -7$ f) $2 \times (9 - 12 \div -4 + 2 \times -4)$

10. Dans chaque cas, ajoute une paire de parenthèses pour que l'égalité soit vraie.

    a) $3 + 2 - 5 - 9 = 9$ b) $1 - 0 - 4 - 8 = -3$ c) $-1 \times -5 - 3 + -1 = 7$

11. Dans un plan cartésien, on a placé quatre punaises reliées par un élastique afin de former un rectangle.

    a) Reproduis le plan cartésien et la figure ci-contre.

    b) Dans ce plan cartésien :

       1) dessine en bleu la figure obtenue après un déplacement horizontal de -10 et un déplacement vertical de -1 des punaises du rectangle initial ;

       2) dessine en vert la figure obtenue après un déplacement horizontal de -4 et un déplacement vertical de +8 des punaises du rectangle initial.

    c) Les rectangles obtenus ont-ils le même périmètre que le rectangle initial ?

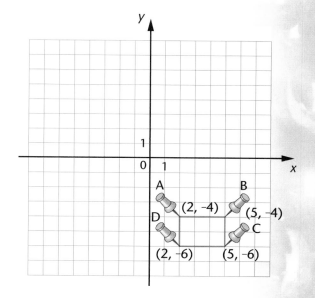

12. **PÉTROLE** Sous une plate-forme située dans l'Atlantique, le sol marin est à ⁻43 m par rapport au niveau de l'eau et un gisement de pétrole est à ⁻278 m par rapport au sol marin. Décris la position du gisement de pétrole par rapport à la surface de l'eau.

Pour extraire le pétrole du sol marin, on construit d'abord une plate-forme à la surface de l'eau, puis on creuse un trou dans le sol pour atteindre le gisement.

13. Les énoncés suivants sont-ils vrais ou faux? Explique ta réponse.

a) Quatre fois l'opposé de 15 est égal à l'opposé du produit de 4 par 15.

b) Le nombre 270 divisé par l'opposé de 18 est égal à l'opposé du quotient de 270 par 18.

14. Le point sec le plus bas sur la Terre est à ⁻2469 m par rapport au niveau de la mer. Le point le plus bas dans la mer est quatre fois plus bas. Quelle est l'altitude de ce dernier point?

15. **ÉTATS DE LA MATIÈRE** Une variation de température correspond à la différence entre la température finale et la température initiale. D'après le diagramme à ligne brisée ci-contre, détermine :

a) la variation de température au cours des 14 premières minutes;

b) la variation minimale de température qui permet à l'alcool de passer de l'état solide à l'état gazeux.

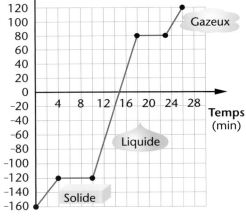

Réchauffement de l'alcool à brûleur

16. Dans chaque cas, quel est le signe du résultat de l'expression donnée?

a) ⁻101 099 + ⁻564 + ⁻35 429 + ⁻788 903

b) 144 – ⁻534 – ⁻9021 – ⁻23 111

c) 564 × ⁻8734 × 1010 × ⁻1 × ⁻543 987

d) ⁻707 694 ÷ ⁻211 × 4015 ÷ ⁻78

17. Quel est le revenu mensuel moyen de cette entreprise?

Beauregard inc.

Mois	Janv.	Févr.	Mars	Avril	Mai	Juin	Juill.	Août	Sept.	Oct.	Nov.	Déc.
Revenus ($)	3540	⁻1700	⁻6500	470	⁻20	3000	⁻540	1880	5630	⁻3500	0	800

18. Dans le plan cartésien ci-contre, les extrémités d'un élastique passant par l'origine sont retenues par deux punaises. L'élastique passera-t-il encore par l'origine si :

a) on multiplie par 4 l'abscisse de la position de chaque punaise ?

b) on double l'ordonnée de la position de chaque punaise ?

c) on additionne 3 à l'ordonnée de la position de chaque punaise ?

d) on multiplie par ‑2 l'abscisse et l'ordonnée de la position de chaque punaise ?

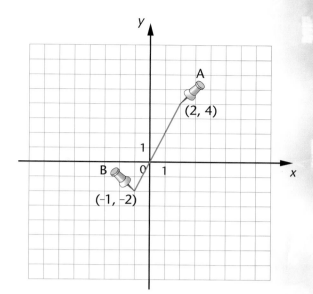

19. Le diagramme ci-contre montre les températures mensuelles moyennes de deux villes au cours d'une année donnée.

a) Pour chacune de ces villes, calcule la moyenne annuelle des températures.

b) En quoi ces deux villes ont-elles des températures :

1) différentes ?

2) semblables ?

c) Quelle raison géographique est la principale explication de cette différence ?

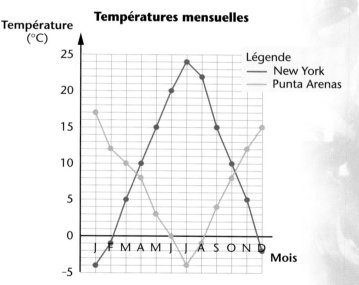

Punta Arenas, ville de l'extrême sud du Chili, est le seul port établi sur les rives du détroit de Magellan, qui relie l'Atlantique au Pacifique.

20. La plupart des lecteurs de disques numériques affichent la durée de la lecture vidéo ou sonore sous plusieurs formes. L'une d'elles montre des temps négatifs. Explique ce que peut signifier l'affichage `T -03:42` sur l'un de ces appareils.

21. ASTRONOMIE Pendant bien longtemps, on a illustré les trajectoires des planètes de notre système solaire par des cercles. Erreur! En fait, comme le montre le plan ci-dessous, les planètes décrivent plutôt une trajectoire elliptique autour du Soleil.

a) Estime les coordonnées des cinq planètes les plus éloignées du Soleil.

b) Quelle catastrophe laisse présager cette représentation graphique?

c) Que devrait-on faire pour mieux distinguer les trajectoires des quatre planètes les plus proches du Soleil?

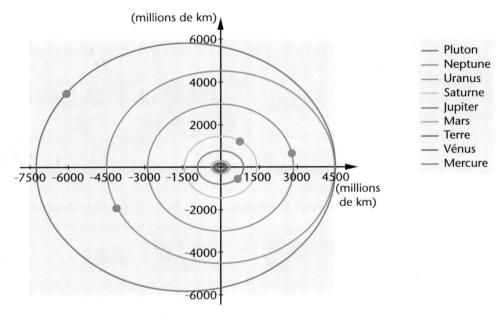

—	Pluton
—	Neptune
—	Uranus
—	Saturne
—	Jupiter
—	Mars
—	Terre
—	Vénus
—	Mercure

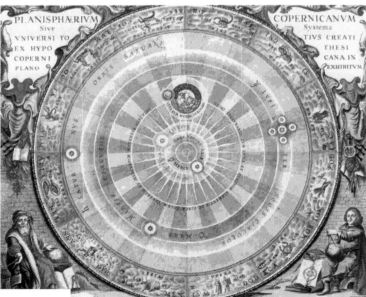

Ancienne représentation du système solaire.

Panorama 4

Des droites aux transformations géométriques

Qu'il s'agisse de bâtiments, de meubles, de réseaux routiers ou de ponts, la plupart des constructions humaines ont été conçues à l'aide de la géométrie. Mais comment fait-on pour établir des propriétés géométriques ? Quelles sont les propriétés concernant les droites, les angles ou d'autres figures ? Dans ce panorama, tu utiliseras les transformations géométriques pour découvrir et vérifier certaines propriétés. Tu analyseras aussi des œuvres d'art et des dallages dans lesquels intervient la géométrie.

PROJET

→ Les illusions d'optique

Société des maths

→ Thalès de Milet

À qui ça sert ?

→ Infographiste

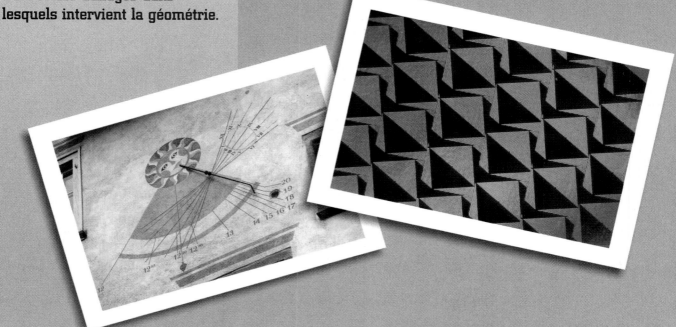

Les illusions d'optique

Présentation

Lorsqu'une personne regarde un objet, ses yeux captent des ondes lumineuses qui sont ensuite transmises au cerveau pour être interprétées. C'est avec ces informations que le cerveau crée une représentation de l'objet.

Il arrive parfois que le cerveau fasse des erreurs d'interprétation qui provoquent des illusions d'optique, c'est-à-dire des représentations mentales qui diffèrent de la réalité.

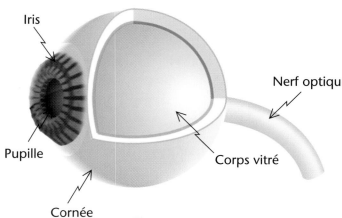

Iris

Nerf optiqu

Pupille

Corps vitré

Cornée

L'œil humain a la forme d'une boule d'un diamètre de 2,5 cm et a une masse d'environ 7 g.

Mandat général proposé

Dans ce projet, tu devras décrire l'effet de quelques illusions d'optique, créer toi-même une illusion d'optique à l'aide de figures géométriques et mesurer ton champ visuel.

■ **Partie 1** : Analyse d'illusions d'optique géométriques.

■ **Partie 2** : Conception d'une illusion d'optique.

■ **Partie 3** : Calcul de ton champ visuel.

Mise en train

1. L'être humain possède cinq sens. Quels sont-ils?

2. Il existe plusieurs anomalies visuelles. Décris brièvement ce qu'est :

   a) le daltonisme;

   b) la myopie;

   c) la presbytie.

3. Les couturiers et les couturières utilisent parfois des motifs géométriques sur des vêtements pour créer des illusions d'optique. Quel est l'effet provoqué sur la silhouette par chacun des motifs ci-contre?

A   B

On peut créer des illusions d'optique en combinant plusieurs figures géométriques. L'effet obtenu dépend de la façon de placer ces figures les unes par rapport aux autres.

Mandat proposé

Relativement à chacune des images présentées ci-dessous :

- décrire l'illusion provoquée en comparant l'image réelle à celle que tu perçois;
- décrire les figures géométriques (point, droite, angle et polygone) qui la composent;
- identifier une ou des transformations géométriques.

PISTES D'EXPLORATION...

■ As-tu utilisé des instruments de géométrie pour faire des vérifications?

■ L'illusion provoquée concerne-t-elle les dimensions, le parallélisme, le mouvement, la couleur ou d'autres aspects?

■ As-tu utilisé les bons termes géométriques dans tes descriptions?

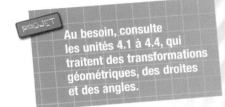

PROJET
Au besoin, consulte les unités 4.1 à 4.4, qui traitent des transformations géométriques, des droites et des angles.

1) Lequel de ces deux segments est le plus long?

2) Quel carré central est le plus grand?

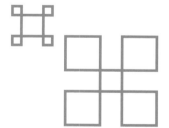

3) Si l'on prolonge chacune des droites, se rencontreront-elles?

4) Lequel des deux segments obliques de gauche est aligné avec celui de droite?

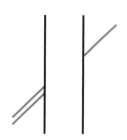

5) Que suggère cette image?

6) Parmi ces segments horizontaux, lequel est le plus long?

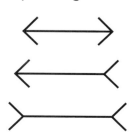

7) En fixant le point central, rapproche-toi et éloigne-toi de cette image. Que se produit-il?

8) Vois-tu autre chose que des carrés noirs?

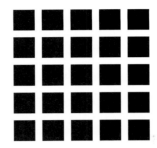

9) Ces droites sont-elles parallèles?

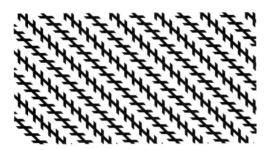

10) Fixe la partie centrale. Que se produit-il?

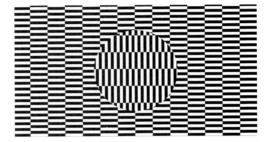

Partie 2 : Conception d'une illusion d'optique

Il existe plusieurs types d'illusions d'optique. Par exemple, on peut créer une illusion qui déforme le parallélisme d'une figure, faire apparaître une figure ou une couleur qui n'existe pas, créer une sensation de mouvement ou modifier la perception des dimensions.

Mandat proposé

À l'aide de figures géométriques, créer une image comportant une illusion d'optique.

PISTES D'EXPLORATION...

■ Quel type d'illusion désires-tu provoquer?

■ L'utilisation d'instruments de géométrie ou de couleurs pourrait-elle t'aider à réaliser ton illusion d'optique?

Tu peux utiliser un logiciel de dessin pour créer ton illusion d'optique.

PROJET

Au besoin, consulte les unités 4.1 à 4.4, qui traitent des transformations géométriques, des droites et des angles.

Partie 3 : Calcul de ton champ visuel

Ta vision possède plusieurs caractéristiques. L'une d'elles te permet de fixer un objet tout en continuant à voir son environnement. Le champ visuel est la portion de l'espace dans laquelle un objet doit être situé pour être perçu par les yeux sans qu'ils bougent.

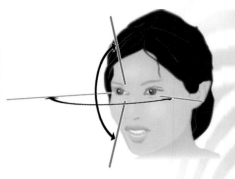

Mandat proposé

Mesurer l'angle de son champ visuel à l'horizontale et à la verticale.

PISTES D'EXPLORATION...

- Durant l'expérience, as-tu fixé un objet?

- As-tu déplacé un autre objet autour de ta tête?

- As-tu déterminé les limites horizontales et verticales de ton champ visuel?

- As-tu utilisé un instrument pour mesurer les angles?

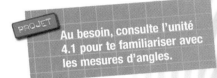

PROJET Au besoin, consulte l'unité 4.1 pour te familiariser avec les mesures d'angles.

Horizontalement, le champ visuel d'un chat couvre 287°.

Bilan du projet : Les illusions d'optique

- Prépare un document comportant les résultats obtenus dans la partie 1, accompagnés d'explications.

- Présente, sur une affiche, l'illusion d'optique que tu as construite dans la partie 2, accompagnée d'un titre et d'une description.

- Explique la façon dont tu as procédé pour réaliser l'expérience de la partie 3 et donne les résultats.

PROJET

Cette unité t'aidera à réaliser les parties 1 à 3 de ton projet.

SITUATION-PROBLÈME **Tourbillons de papillons**

Maurits Cornelis Escher a consacré sa vie à la gravure et aux arts graphiques. En plus d'éprouver un grand attrait pour l'architecture et les arts, Escher s'intéressait à la géométrie.

Le dessin ci-dessous, comme la plupart des œuvres de Escher, exploitent certains concepts mathématiques.

M. C. Escher
(1898-1972)

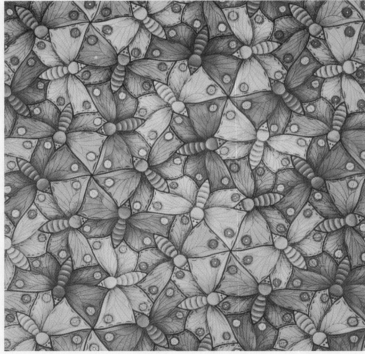

Sans tenir compte des couleurs, comment est-il possible de produire complètement ce dessin à l'aide d'un seul papillon ?

PISTES D'EXPLORATION...

- Le choix du papillon initial est-il important ?
- Les formes et les dimensions des papillons sont-elles identiques ?
- As-tu repéré sur le dessin les éléments essentiels permettant de reproduire un papillon ?
- As-tu comparé ta réponse à celles d'autres élèves ?

ACTIVITÉ **1** L'autoroute

Les entrées et les sorties que l'on trouve le long des autoroutes sont parfois de forme circulaire.

Voici le plan d'une partie d'une autoroute sur lequel on a illustré les déplacements de deux véhicules, un rouge et un bleu.

Une autoroute est une route qui comporte au moins deux voies séparées et qui est conçue pour la circulation rapide des automobiles. Les entrées et les sorties servent à raccorder l'autoroute au réseau routier environnant.

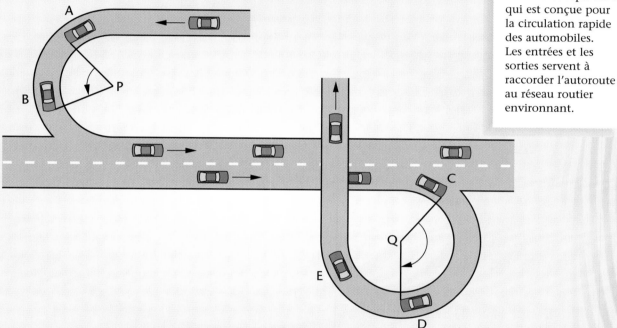

a. Le sens de rotation des deux véhicules est-il le même ? Explique ta réponse.

b. Décris la rotation qui permet d'associer la position A du véhicule rouge à la position B.

c. Décris la rotation qui permet d'associer la position C du véhicule bleu à la position D.

d. De combien de degrés le véhicule bleu doit-il tourner pour passer :

1) de la position D à la position E ?

2) de la position C à la position E ?

Explorer la rotation

Plusieurs éléments influencent la rotation. Pour les découvrir, on a utilisé un logiciel de géométrie dynamique.

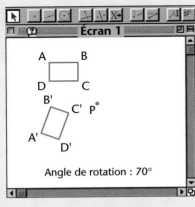

Écran 1

Angle de rotation : 70°

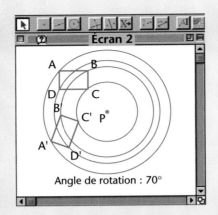

Écran 2

Angle de rotation : 70°

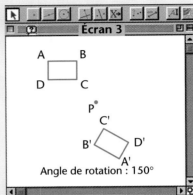

Écran 3

Angle de rotation : 150°

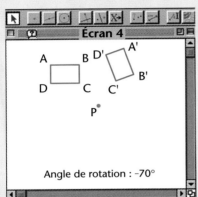

Écran 4

Angle de rotation : –70°

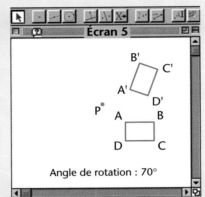

Écran 5

Angle de rotation : 70°

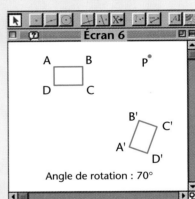

Écran 6

Angle de rotation : 70°

a. Dans l'écran **1**, détermine :

1) la figure initiale;

2) la figure image;

3) le centre de rotation;

4) l'angle de rotation.

b. À partir du centre de rotation de l'écran **2**, on a tracé des cercles passant par chacun des sommets de la figure ABCD. Que remarques-tu?

c. Par rapport à l'écran **1**, quel changement a-t-on apporté à :

1) l'écran **3**? 2) l'écran **4**? 3) l'écran **5**? 4) l'écran **6**?

d. Qu'indique le signe d'un angle de rotation?

e. Observe chacun des écrans puis compare la forme et les dimensions de la figure initiale à celles de la figure image. Que remarques-tu?

ACTIVITÉ ③ **Comparaison d'aires**

Il existe un lien entre l'aire d'un triangle et l'aire d'un parallélogramme.
La construction suivante permet d'observer ce lien.

1. On construit
un triangle ABC
quelconque.

2. On détermine
le point milieu
du côté AC que
l'on nomme M.

3. On applique une rotation
de 180° de centre M au
triangle ABC. Les sommets A
et C' coïncident, et les
sommets C et A' coïncident.

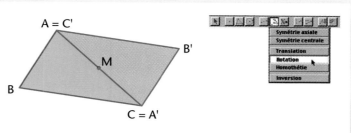

a. À l'aide du triangle ABC, effectue la même construction en choisissant :

   1) le milieu du côté AB comme centre de rotation;

   2) le milieu du côté BC comme centre de rotation.

b. Quel est le lien entre l'aire d'un triangle et l'aire d'un parallélogramme obtenu
   à partir de ce triangle?

Il existe aussi un lien entre l'aire d'un trapèze et l'aire d'un parallélogramme.
La figure ci-dessous montre le trapèze ABCD.

c. Quelles sont les caractéristiques
   d'un trapèze?

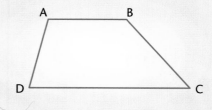

d. En appliquant une rotation au trapèze
   ABCD, on peut former un parallélogramme.
   Effectue cette rotation en précisant :

   1) le centre de rotation;   2) l'angle de rotation;   3) le sens de rotation.

e. Quel est le lien entre l'aire d'un trapèze et l'aire d'un parallélogramme obtenu
   à partir de ce trapèze?

Angle

Un angle est une figure géométrique formée de deux demi-droites ayant la même origine. L'origine des demi-droites est le **sommet** de l'angle et les deux demi-droites sont les **côtés** de l'angle.

On indique généralement l'ouverture de l'angle par un arc de cercle.

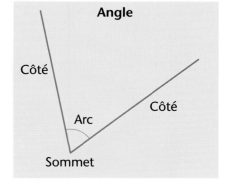

On nomme généralement un angle par son sommet. S'il y a risque de confusion, on utilise alors trois lettres. La lettre située au centre représente le sommet de l'angle. On peut aussi utiliser un nombre pour identifier un angle.

On utilise parfois des symboles pour alléger l'écriture :

- « ∠ » signifie « angle » ;

- « m ∠ » veut dire « mesure de l'angle ».

On mesure l'ouverture d'un angle à l'aide d'un instrument appelé le rapporteur. L'unité de base pour mesurer des angles est le degré.

Pour construire un angle, voir l'*Album,* p. 232.

Notation

Ex. : La mesure de cet angle est 35°.

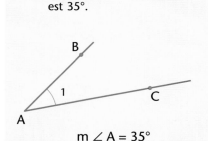

m ∠ A = 35°
ou
m ∠ BAC = 35°
ou
m ∠ 1 = 35°

On classe les angles selon leur mesure.

Angle nul	Angle aigu	Angle droit	Angle obtus
mesure = 0°	0° < mesure < 90°	mesure = 90°	90° < mesure < 180°

Angle plat	Angle rentrant	Angle plein
mesure = 180°	180° < mesure < 360°	mesure = 360°

Transformation géométrique

Une transformation géométrique permet d'**associer**, à toute **figure initiale**, une **figure image**.

Si un point de la figure initiale est identifié par A, alors le point homologue de la figure image est noté A' (se lit « A prime »).

Rotation

La **rotation** est une **transformation géométrique** qui permet d'associer, à toute figure initiale, une figure image selon un **centre**, un **angle** et un **sens** de rotation donnés.

- On utilise le symbole r pour désigner une rotation.
- Le centre de rotation est un point fixe.
- L'angle de rotation est une mesure en degrés qui peut être représentée par une flèche de rotation.
- Il existe deux sens de rotation : horaire (⟳) et antihoraire (⟲). On peut indiquer ce sens en attribuant un signe à l'angle de rotation. Le signe positif correspond au sens antihoraire et le signe négatif au sens horaire.

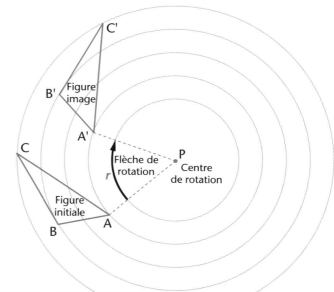

Le triangle A'B'C' est l'image du triangle ABC par la rotation r de centre P et d'angle $-60°$.

La rotation est une transformation qui permet d'obtenir des **figures isométriques**, c'est-à-dire que la figure image a la **même forme** et les **mêmes dimensions** que la figure initiale. Des figures isométriques sont parfaitement **superposables**.

Le symbole « ≅ » signifie « est isométrique à ». Par exemple, pour indiquer que le triangle ABC est isométrique au triangle A'B'C', on écrit $\triangle$ ABC ≅ $\triangle$ A'B'C'.

> Pour tracer l'image d'une figure par une rotation, voir l'*Album*, page 233.

1. On veut mesurer ces angles à l'aide d'un rapporteur. Un élève indique qu'on peut mesurer l'angle A mais pas les deux autres. Qu'en penses-tu?

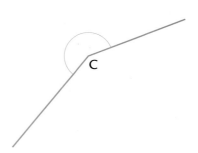

A

B

C

2. Les angles de 0°, 45°, 90°, 180° et 270° servent souvent de référence pour estimer la mesure d'un angle. Estime la mesure de l'angle indiqué dans chacune des illustrations, puis vérifie la précision de ton estimation à l'aide d'un rapporteur.

a) L'angle entre les pales de cette hélice d'avion.

b) L'angle formé par le va-et-vient de ce pendule.

c) L'angle formé par deux des tubes de ce cadre de vélo.

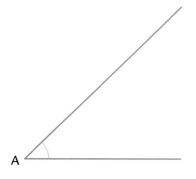

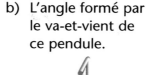

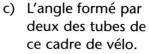

d) L'angle de cette route.

e) L'angle du raccord d'une tuyauterie.

f) L'angle formé par la remorque et sa descente.

3. Explique comment on peut mesurer ∠ BAC en plaçant le rapporteur de cette façon.

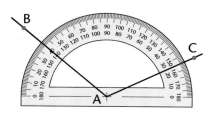

4. L'être humain possède des articulations qui lui permettent de bouger. Par exemple, le bassin permet de plier le tronc. Dessine un bonhomme formant avec son tronc et ses jambes l'angle donné.

   a) Nul

   b) Plat

   c) Droit

   d) Obtus

   e) Rentrant

   f) Aigu

5. Nomme de trois façons différentes tous les angles de ce triangle.

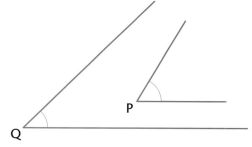

6. Indique l'angle ayant la plus grande mesure dans chacune de ces paires d'angles.

   a)

   b)

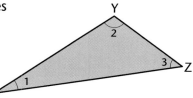

7. Que peut-on dire de la mesure de l'angle RST si m ∠ TSR = 117° ?

8. CONSOMMATION On utilise parfois un diagramme circulaire pour comparer divers éléments. Ce diagramme circulaire montre la répartition de la consommation moyenne d'électricité d'un foyer québécois en 2004. Nomme le type d'angle formé par chacun des secteurs de ce diagramme selon sa mesure.

Consommation d'électricité

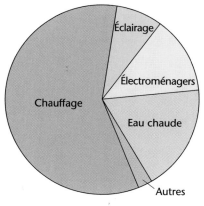

9. Voici trois façons différentes de décrire le sens de rotation. Associe les expressions qui ont la même signification.

A1) sens de rotation horaire

A2) sens de rotation antihoraire

B1) sens de rotation positif

B2) sens de rotation négatif

C1) sens de rotation des aiguilles d'une montre

C2) sens de rotation contraire à celui des aiguilles d'une montre

10. Une rotation équivaut à une autre si, à partir de la même figure initiale, on obtient la même figure image. Décris la rotation équivalente de même centre mais de sens contraire à celle donnée.

a) Rotation de 300° dans le sens horaire;

b) Rotation de 90° dans le sens antihoraire;

c) Rotation de 160° dans le sens des aiguilles d'une montre;

d) Rotation de 30° dans le sens contraire à celui des aiguilles d'une montre;

e) Rotation de ⁻40°;

f) Rotation de 200°.

11. Par rotation de la figure 1, on a obtenu la figure 2 et la figure 3. Détermine le centre, le sens et l'angle de chaque rotation.

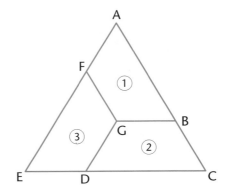

12. LA RONDE Le parc d'attractions de La Ronde comptait trente-six manèges en 2004. Dans lequel des trois manèges apparaissant ci-dessous une personne assise n'effectue pas le mouvement qui correspond à une rotation? Explique ta réponse

Vertigo

Bateau pirate

Grande roue

13. Dans chaque cas, explique pourquoi la figure **B** n'a pas été obtenue par une rotation de la figure **A**.

a)

b)

c)

d)

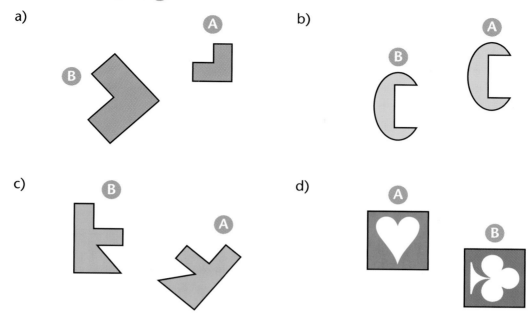

14. Associe les flèches qui désignent les mêmes rotations.

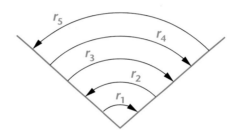

15. Pour ouvrir le cadenas à numéros illustré ci-contre, on doit effectuer, en partant du zéro, les mouvements suivants : une rotation de 108° dans le sens horaire, une rotation de 144° dans le sens antihoraire et une rotation de 225° dans le sens horaire. Quelle est la combinaison qui permet d'ouvrir ce cadenas ?

16. La figure ci-dessous est-elle un angle ? Justifie ta réponse.

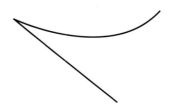

17. À partir du sommet d'un angle de 40°, on trace deux segments, l'un de 4 cm et l'autre de 5 cm, superposés aux côtés de l'angle. On observe cette figure à l'aide d'une loupe qui grossit deux fois les objets. Décris ce que tu vois dans la loupe.

4 cm

40°

5 cm

18. PYRAMIDES Pour éviter que le sable s'accumule sur les parois des pyramides, les Égyptiens ont fait des expériences pour déterminer l'angle à donner à la base des pyramides.

Expérience 1

Un tas de sable est déposé sur une planche. Si l'on fait varier l'inclinaison de la planche, le sable s'écoule. À un angle donné, tout l'amas de sable glisse sous l'effet de sa pesanteur.

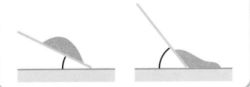

Expérience 2

Du sable fin qui s'écoule forme un amoncellement qui a toujours le même angle à la base.

Réalise ces deux expériences afin de déterminer l'angle que pourrait avoir la base d'une pyramide.

ZOOM

1 La mesure d'un angle dépend-elle de la longueur de ses côtés?

2 Quel est le seul angle de rotation compris entre 0° et 360° pour lequel il n'est pas nécessaire de préciser le sens?

3 Est-il vrai que, pour toute rotation, on peut toujours définir une autre rotation équivalente :

a) de même centre et de sens contraire? Explique ta réponse.

b) de même centre et de même sens? Explique ta réponse.

4 Est-il possible de mesurer la longueur :

a) d'une droite?
b) d'une demi-droite?
c) d'un segment?
d) d'un point?

Unité 4.2 · En ligne droite

Cette unité t'aidera à réaliser les parties 1 et 2 de ton projet.

SITUATION-PROBLÈME   Poissons et voiliers

Au cours de sa carrière, l'artiste Maurits Cornelis Escher a produit environ 2500 œuvres, dont 137 dessins dans lesquels on peut observer des formes qui s'imbriquent les unes dans les autres. Voici l'un de ces dessins.

Un peu avant sa mort, Escher a écrit : « Un de mes plus grands plaisirs est la fréquentation et l'amitié des mathématiciens, qui a résulté de mon travail. Ils m'ont souvent donné des idées nouvelles et parfois même je leur ai rendu la pareille. »

Comment est-il possible de produire complètement ce dessin à l'aide d'un seul poisson et d'un seul voilier ?

PISTES D'EXPLORATION...

■ Les choix du poisson initial et du voilier initial sont-ils importants ?

■ Les poissons sont-ils tous identiques ? Les voiliers sont-ils tous identiques ?

■ Comment as-tu décrit la reproduction des autres poissons à partir du poisson initial choisi ?

■ Comment as-tu décrit la reproduction des autres voiliers à partir du voilier initial choisi ?

Explorer la translation

Plusieurs éléments ont une influence sur la translation. Pour les découvrir, on a utilisé un logiciel de géométrie dynamique.

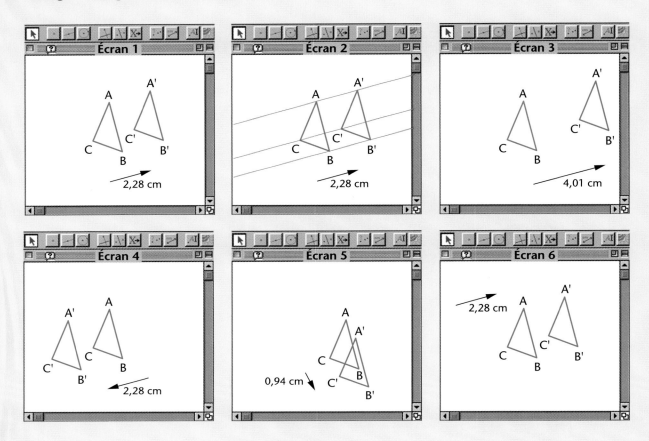

a. Dans l'écran **1**, détermine :

1) la figure initiale;

2) la figure image;

3) la longueur de la flèche de translation.

b. Qu'ont de particulier les droites tracées dans l'écran **2**?

c. En comparant les six écrans, détermine si les éléments suivants ont une influence sur la figure image.

1) Longueur de la flèche de translation; 2) Sens de la flèche de translation;

3) Direction de la flèche de translation; 4) Position de la flèche de translation dans le plan.

d. Observe chacun des écrans, puis compare la forme et les dimensions de la figure initiale à celles de la figure image. Que remarques-tu?

ACTIVITÉ 2 **Autre comparaison d'aires**

Il existe un lien entre l'aire d'un parallélogramme et l'aire d'un rectangle.
La construction suivante permet d'observer ce lien.

1. On construit un parallélogramme ABCD.

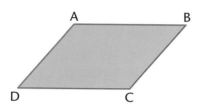

2. À partir du sommet A, on trace le segment AE afin que l'angle AED soit droit. On forme ainsi le triangle rectangle AED.

3. On effectue une translation du triangle AED. La flèche de translation a la même longueur et la même direction que le segment AB. Les sommets B et A' coïncident. Il en est de même pour les sommets C et D'.

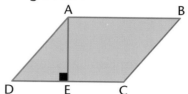

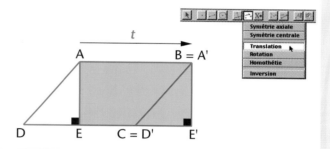

a. À partir du parallélogramme ABCD, effectue une construction similaire en traçant d'abord le segment CF afin que l'angle CFB soit droit.

b. Quel est le lien entre l'aire d'un parallélogramme et l'aire d'un rectangle obtenu à partir de ce parallélogramme?

Il existe aussi un lien entre l'aire d'un losange et l'aire d'un rectangle. La figure ci-dessous montre le losange ABCD et les segments reliant les sommets opposés. Les triangles 1, 2, 3 et 4 ainsi formés sont isométriques.

c. En appliquant deux translations, une au Δ 1 et l'autre au Δ 2, on peut former un rectangle. Effectue ces translations et précise :

1) la longueur de la flèche de translation;

2) la direction de la flèche de translation;

3) le sens de la flèche de translation.

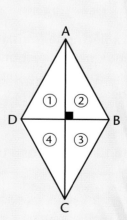

d. Quel est le lien entre l'aire d'un losange et l'aire d'un rectangle obtenu à partir de ce losange?

Droites parallèles

Dans un plan, deux droites sont parallèles si elles n'ont aucun point commun. Le symbole « // » signifie est « parallèle à ».

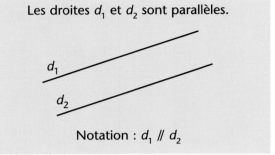

Les droites d_1 et d_2 sont parallèles.

Notation : $d_1 \, / \! / \, d_2$

Pour tracer des droites parallèles, on peut utiliser une règle et une équerre.

Translation

La **translation** est une **transformation géométrique** qui permet d'associer, à toute figure initiale, une figure image selon une **direction**, un **sens** et une **longueur** donnés.

Le triangle A'B'C' est l'image du triangle ABC par la translation t.

Les droites AA', BB' et CC' sont parallèles à la flèche de translation.

- On utilise le symbole t pour désigner une translation.

- On décrit une translation à l'aide d'une flèche de translation.

- La flèche de translation indique la direction, le sens et la longueur de la translation.

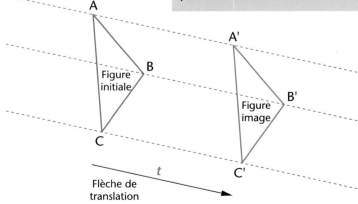

La translation est une transformation qui permet d'obtenir des **figures isométriques**.

Pour tracer l'image d'une figure par une translation, voir l'*Album*, page 234.

1. Parmi les flèches de translation suivantes, indique celles qui ont :

   a) une même direction ;

   b) un même sens ;

   c) une même longueur.

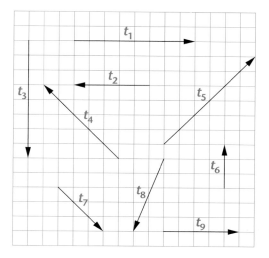

2. La figure image a-t-elle été obtenue par la translation indiquée par la flèche ?

   a)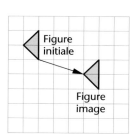

   b)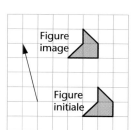

   c)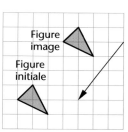

3. Quelle flèche de translation a permis d'obtenir la figure image ?

   a)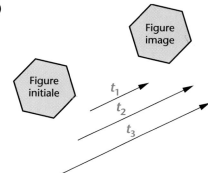

   b)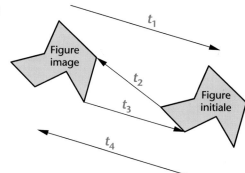

4. a) À l'aide de tes instruments de géométrie, trace une droite parallèle à la droite *d* :

   1) passant par le point P ;

   2) passant par le point Q.

   b) Que peux-tu dire des deux droites que tu viens de tracer ?

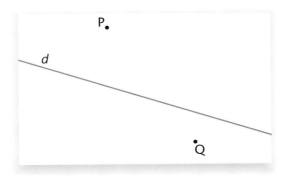

5. Une élève dit à une autre : « Deux droites sont parallèles si elles ne se touchent pas. » L'autre élève répond : « Alors les droites *h* et *g* dans cette illustration sont parallèles. » Qu'en penses-tu ?

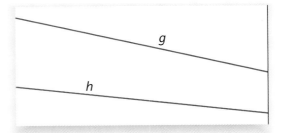

6. L'origine de la flèche de translation est située au point A. À quel point correspond son autre extrémité ?

a)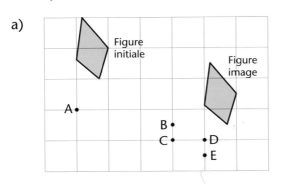

b)

7. Dans chaque cas, explique pourquoi la figure **B** n'a pas été obtenue par une translation de la figure **A**.

a)

b)

c)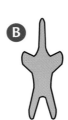

d)

8. GÉOGRAPHIE Le drapeau des États-Unis d'Amérique est composé de 50 étoiles représentant les 50 États de l'Union et de 13 bandes horizontales qui représentent les 13 États fondateurs.

Les étoiles situées dans le rectangle bleu du drapeau peuvent être obtenues par translation. Un quadrillage a été ajouté afin que le centre des étoiles corresponde aux intersections des droites verticales et horizontales.

> Le drapeau américain a été créé en 1777 par la couturière Betsy Ross. Il a été modifié, par l'ajout d'une étoile, chaque fois qu'un nouvel État s'est joint au pays.

a) À l'aide du quadrillage ci-contre, décris la translation qui permet d'obtenir :

1) l'étoile B à partir de l'étoile A ;

2) l'étoile C à partir de l'étoile B.

b) Si l'on considère que toutes les étoiles ont été obtenues à partir de l'étoile A, combien de translations ont été effectuées ?

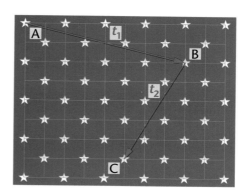

9. La distance d'un point à une droite correspond à la longueur du segment perpendiculaire reliant le point à cette droite.

a) Trace le segment dont la longueur correspond à la distance entre le point A et la droite d_1, et mesure cette distance.

b) Trace le segment dont la longueur correspond à la distance entre le point A et la droite d_2, et mesure cette distance.

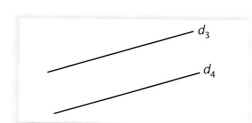

c) Quelle est la distance entre les droites d_3 et d_4 ?

d) Peut-on mesurer la distance entre deux droites qui ne sont pas parallèles ? Explique ta réponse.

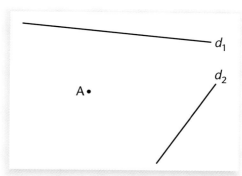

10. Le triangle A'B'C' a été obtenu par la translation *t* du triangle ABC.

Que peux-tu dire au sujet des quadrilatères AA'B'B, BB'C'C et AA'C'C ?

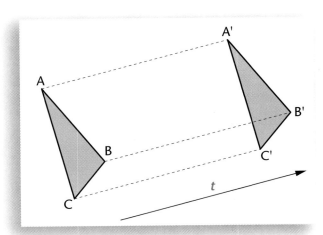

11. Trace la flèche de la translation qui a permis d'obtenir la figure image **A'** à partir de la figure initiale **A.**

a)

Figure A

Figure A'

b)

Figure A'

Figure A

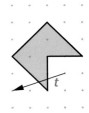

12. Trace l'image de la figure donnée par la translation décrite par la flèche.

a)

t

b)

t

c)

t

13. L'illustration ci-contre montre la position de quelques constructions sur un terrain. Afin de construire un garage au bout de l'allée asphaltée, on doit déplacer le cabanon à l'aide d'une remorque.

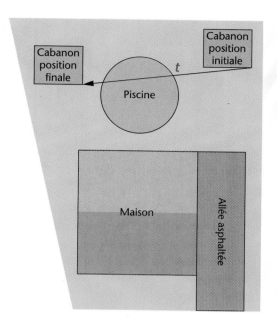

a) Les deux positions, initiale et finale, du cabanon correspondent-elles à la translation indiquée sur l'illustration? Explique ta réponse.

b) Suggère une façon possible d'effectuer le déplacement du cabanon.

14. Les bordures de cette route sont-elles parallèles? Explique ta réponse.

ZOOM

1 Deux flèches de translation peuvent-elles avoir :

a) la même direction sans avoir le même sens?

b) le même sens sans avoir la même direction?

2 Quelle propriété possèdent deux droites ayant la même direction?

3 Cette illustration montre-t-elle des lignes parallèles? Explique ta réponse.

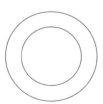

PROJET

Cette unité t'aidera à réaliser les parties 1 et 2 de ton projet.

 SITUATION-PROBLÈME **Voir à l'envers**

Les miroirs possèdent de curieuses caractéristiques. Par exemple, une personne placée face à un miroir et qui tient un objet dans la main droite remarquera que son image tient l'objet dans la main gauche.

Dans une exposition scientifique, un montage met certaines caractéristiques du miroir en évidence. Le montage est constitué d'un miroir vertical et d'une vitre transparente horizontale. Des lettres sont inscrites sur la vitre.

Certains véhicules de sécurité ont des inscriptions à effet miroir sur leur capot. Ainsi, les conducteurs et les conductrices qui les précèdent, et qui regardent dans leurs rétroviseurs, peuvent les reconnaître rapidement en cas d'urgence.

Les personnes qui visitent l'exposition verront-elles les mêmes inscriptions sur la vitre et dans le miroir?

PISTES D'EXPLORATION...

- L'ordre des couleurs dans le miroir sera-t-il le même?
- L'orientation d'une lettre et de son image dans le miroir sera-t-elle la même?

ACTIVITÉ 1 Le minigolf

Il existe une version miniature du golf appelée le minigolf. Le but du jeu est d'envoyer une balle dans un trou en un minimum de coups.

Les trous au minigolf sont souvent conçus de manière à ce que les joueurs et les joueuses ne puissent pas les viser directement à leur coup de départ. Certaines notions mathématiques permettent de surmonter cette difficulté. En voici un exemple :

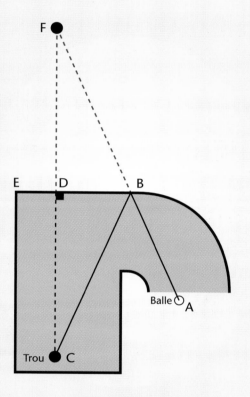

a. Décris le trajet que la balle doit parcourir pour tomber dans le trou en un seul coup et en frappant une seule bande.

b. Décris la réflexion qui donnera le trajet de la balle permettant de réussir un trou d'un coup.

c. Que peux-tu dire des segments :
   1) CD et DF ?
   2) CF et BE ?
   3) BC et BF ?

d. Détermine deux façons différentes de réussir le trou suivant en un seul coup et en frappant une seule bande.

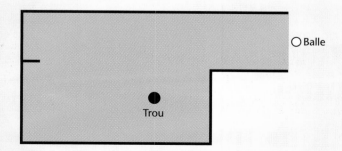

Plusieurs éléments ont une influence sur la réflexion. Pour les découvrir, on a utilisé un logiciel de géométrie dynamique.

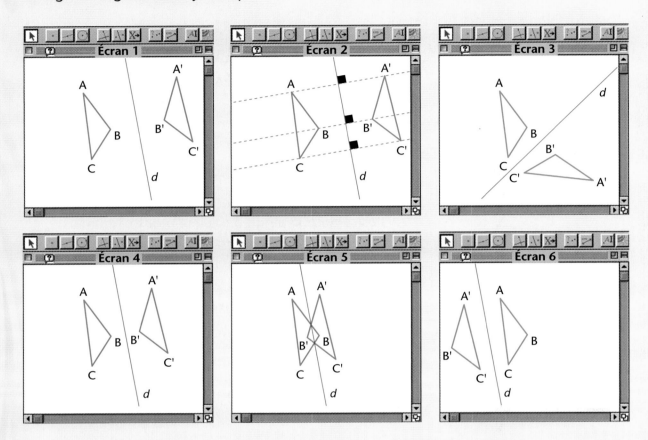

a. Dans l'écran **1**, détermine :

1) la figure initiale ;   2) la figure image ;   3) l'axe de réflexion.

b. Qu'ont de particulier les droites tracées à l'écran **2** ?

c. En comparant les écrans, détermine si les éléments suivants ont une influence sur la figure image.

1) La direction de l'axe de réflexion.

2) La position de l'axe de réflexion dans le plan.

d. Observe chacun des écrans, puis compare la figure initiale et la figure image.

1) Qu'est-ce qui n'a pas changé ?

2) Qu'est-ce qui a changé ?

Droites perpendiculaires

Deux droites sont **perpendiculaires** si elles se coupent à **angle droit**. Le symbole « ⊥ » signifie « est perpendiculaire à ».

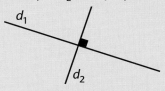

Les droites d_1 et d_2 sont perpendiculaires.

Notation : $d_1 \perp d_2$

On peut utiliser une équerre pour tracer des droites perpendiculaires.

Réflexion

La **réflexion** est une **transformation géométrique** qui permet d'associer, à toute figure initiale, une figure image **par rapport à une droite** donnée.

Le triangle A'B'C' est l'image du triangle ABC par la réflexion s d'axe d.

- On utilise le symbole s pour désigner une réflexion.

- L'**axe de réflexion** est la droite par rapport à laquelle s'effectue la réflexion.

- Tout point et son image sont les extrémités d'un segment **perpendiculaire** à l'axe de réflexion. L'axe de réflexion coupe ce segment en son **milieu**.

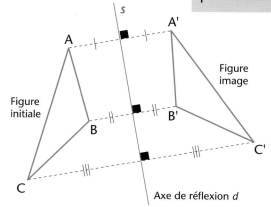

La réflexion est une transformation qui permet d'obtenir des **figures isométriques**.

Pour tracer l'image d'une figure par une réflexion, voir l'*Album*, page 235.

Calepin des **savoirs**

Figures symétriques

Une figure et son image associées par une réflexion sont dites symétriques par rapport à l'axe de réflexion.

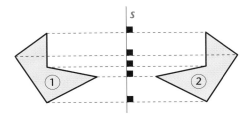

Les figures 1 et 2 sont symétriques par rapport à l'axe de la réflexion *s*.

Certaines figures sont leur propre image par une réflexion. La figure est alors dite symétrique à elle-même et l'axe de réflexion est appelé **axe de symétrie.** Une telle figure peut avoir plus d'un axe de symétrie.

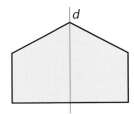

Figure symétrique par rapport à l'axe de symétrie *d*

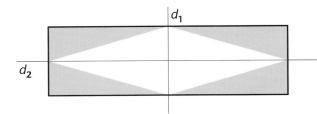

Figure symétrique par rapport aux axes de symétrie d_1 et d_2

Médiatrice

La **médiatrice d'un segment** est la droite perpendiculaire à ce segment en son milieu. La médiatrice est aussi un **axe de symétrie du segment.**

Le segment AB se note « $\overline{AB}$ ».
La mesure du segment AB se note « m $\overline{AB}$ ».

La droite *d* est la médiatrice de $\overline{AB}$.
On a donc m $\overline{AC}$ = m $\overline{BC}$ ou $\overline{AC} \cong \overline{BC}$.

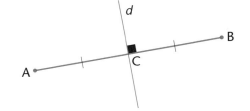

Bissectrice

La **bissectrice d'un angle** est la droite ou la demi-droite qui partage cet angle en deux angles isométriques. La bissectrice est aussi un **axe de symétrie de l'angle.**

La droite *d* est la bissectrice de ∠ RST.
On a donc m ∠ RSU = m ∠ TSU ou
∠ RSU ≅ ∠ TSU.

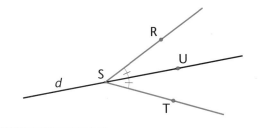

1. Détermine mentalement la mesure des angles formés par la bissectrice d'un angle de :

a) 120° b) 44° c) 210° d) 108°

2. Parmi les majuscules ci-contre, combien ont :

a) un seul axe de symétrie?

b) plus d'un axe de symétrie?

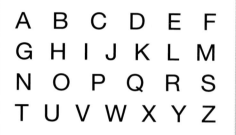

3. Ces figures sont-elles symétriques par rapport à l'axe donné?

a)

d_1

b)

d_2

c)

d_3

d)

d_4

4. **a)** À l'aide de tes instruments de géométrie, trace une droite perpendiculaire à la droite donnée :

1) passant par le point P ;

2) passant par le point Q.

b) Que peux-tu dire des deux droites que tu viens de tracer ?

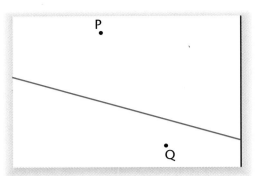

5. Trace l'image de la figure par rapport à l'axe de réflexion donné.

a)

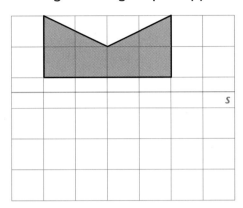

b)

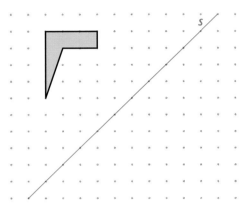

c)

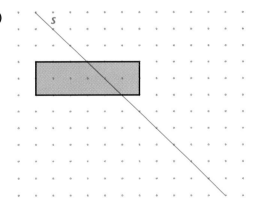

d)

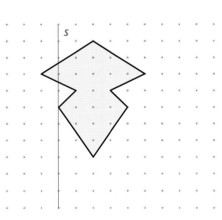

6. Quelle est la mesure de l'angle créé par la bissectrice de l'angle AOB et la bissectrice de l'angle BOC ?

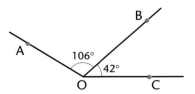

7. Laquelle de ces expressions est correcte ? Explique ta réponse.

a) KL + MN = 12 cm

b) $\overline{KL} + \overline{MN}$ = 12 cm

c) m $\overline{KL}$ + m $\overline{MN}$ = 12 cm

d) m KL + m MN = 12 cm

8. Dans chaque cas, explique pourquoi la figure n'a pas été obtenue par une réflexion de la figure .

a)

b)

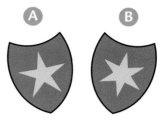

c)

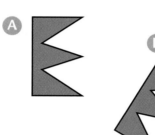

d)

9. Le triangle A'B'C' a été obtenu par une réflexion du triangle ABC. Que peux-tu dire au sujet des quadrilatères AA'B'B, AA'C'C et BB'C'C.

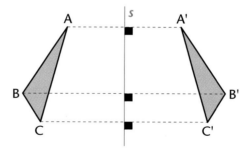

 10. Trace l'axe de réflexion qui permet d'associer les deux figures.

a)

b)

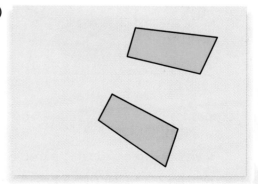

11. Combien d'axes de symétrie ces figures ont-elles?

a)

b)

c)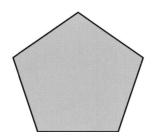

d)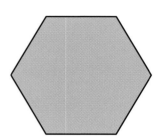

e)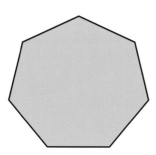

f)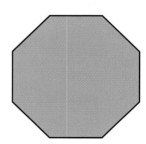

g)

h)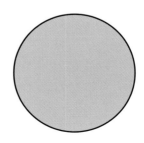

12. Les écritures ci-dessous sont incorrectes. Pourquoi?

« ... le triangle △ ABC... »   « ... le segment $\overline{RS}$... »

« ... l'angle ∠ W... »   « ... la mesure m ∠ U... »

13. Laquelle de ces illustrations montre une réflexion par rapport à un axe?

 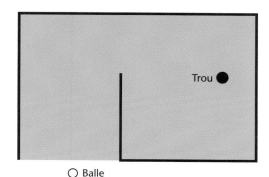

 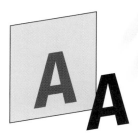

14. a) Trace un triangle quelconque à l'aide d'une règle.

b) Trace la bissectrice de chacun des angles.

c) Que peux-tu dire au sujet de la rencontre des bissectrices?

d) Compare tes observations à celles d'autres élèves.
Quelle conclusion peux-tu tirer de cette comparaison?

 15. Détermine le tracé qu'une balle doit suivre pour tomber dans le trou en un seul coup.

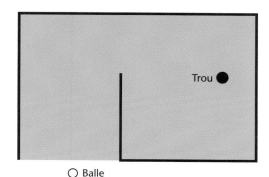

Trou

○ Balle

Z○○M

1 Le point P' est l'image du point P par une réflexion. Est-il possible que :

a) les points P et P' coïncident? Explique ta réponse.

b) les points P et P' soient situés du même côté de l'axe de réflexion?
Explique ta réponse.

2 Soit A et B, les extrémités d'un segment. Si on considère l'ensemble des points qui sont situés à égale distance de A et B, quelle figure géométrique obtient-on?

3 Combien d'axes de symétrie une droite a-t-elle?

PROJET

Cette unité t'aidera à réaliser les parties 1 et 2 de ton projet.

Unité 4.4 : Sous tous les angles

SITUATION-PROBLÈME : Dallage à la Escher

Dans plusieurs de ses œuvres, l'artiste Maurits Cornelis Escher utilise des techniques de dallage qui consistent à recouvrir complètement une surface à l'aide de figures isométriques qui s'imbriquent les unes dans les autres. Le tableau *Reptiles* montre le remplissage d'une surface à l'aide de reptiles identiques, sauf en ce qui a trait à la couleur.

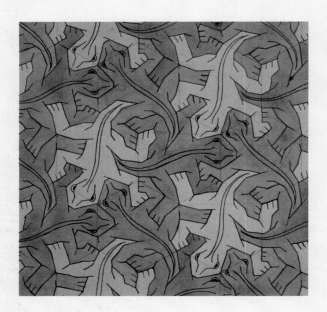

Le dallage remonte à l'an -4000 av. J.-C., alors que les Sumériens utilisaient des agencements de tuiles colorées pour décorer les murs et les planchers des maisons et des temples.

DALLAGE GÉOMÉTRIQUE

Plusieurs figures géométriques permettent de daller une surface. On n'a qu'à reproduire ces figures à l'aide de la géométrie des transformations.

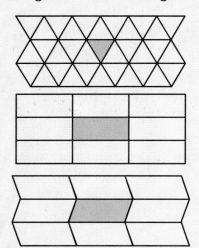

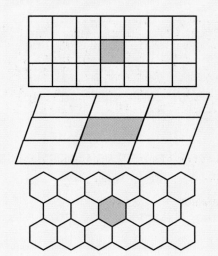

Daller une surface consiste à la recouvrir complètement à l'aide de figures géométriques sans laisser d'espace libre et sans qu'il y ait superposition des figures.

DALLAGE ARTISTIQUE

En s'inspirant des transformations géométriques, on peut modifier certaines figures géométriques pour créer des figures quelconques qui, elles aussi, permettent de daller une surface. On peut ajouter de la couleur et des dessins pour compléter l'œuvre.

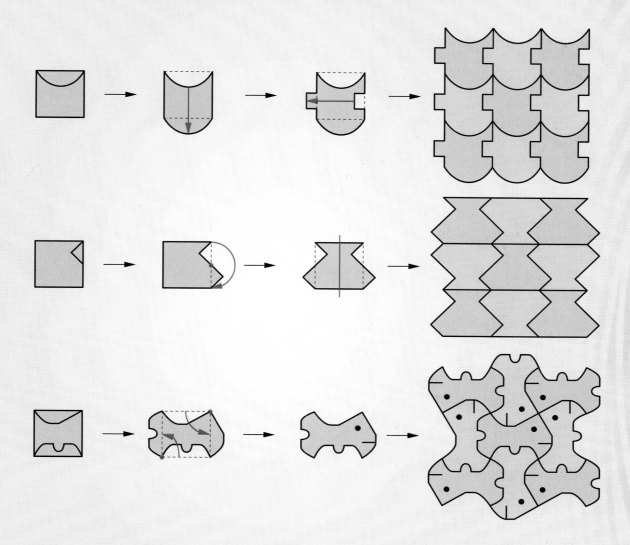

Construis un dallage artistique en utilisant au moins deux transformations géométriques parmi la rotation, la translation et la réflexion.

PISTES D'EXPLORATION...

- As-tu choisi une figure géométrique de base qui permet de daller le plan?
- Les figures qui forment ton dallage sont-elles isométriques?
- As-tu ajouté de la couleur à ton dallage?

Transformer pour découvrir

On utilise parfois la géométrie des transformations pour découvrir certaines propriétés géométriques.

On trace un triangle quelconque. On obtient ainsi le Δ 1 et on nomme ses sommets A, B et C.

a. Que veut dire le mot «quelconque»?

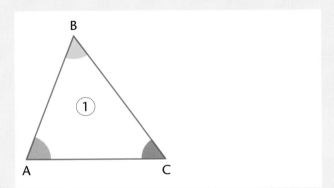

On effectue la rotation *r* de 180° du Δ 1 autour du point M qui est le milieu du côté BC. On obtient ainsi le Δ 2.

b. Les triangles 1 et 2 forment un quadrilatère. Quelles sont les caractéristiques des côtés de ce quadrilatère?

c. De quel type de quadrilatère s'agit-il?

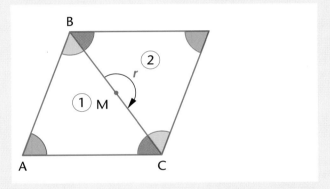

On effectue la translation *t* du Δ 1 de manière à ce que l'image du point A coïncide avec le point C. On obtient ainsi le Δ 3.

d. Pourquoi peut-on être assuré que les triangles 1, 2 et 3 sont isométriques?

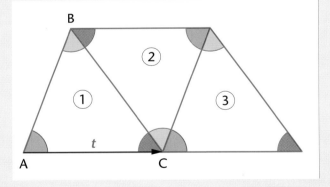

e. Quel type d'angle est formé par les angles colorés ci-contre?

f. Quelle est la somme des mesures des angles intérieurs du Δ ABC?

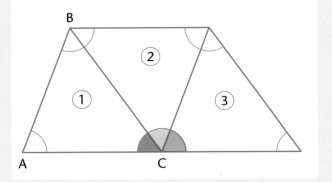

La charpente d'une maison

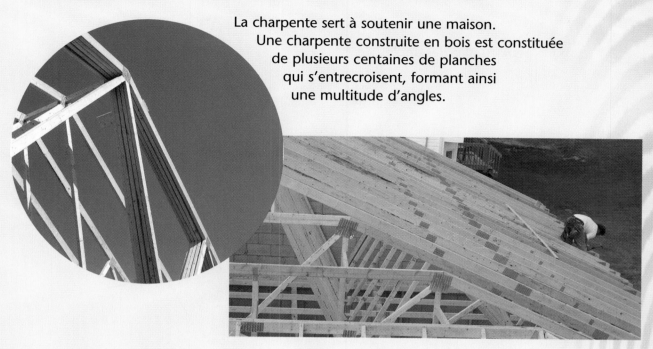

La charpente sert à soutenir une maison.
Une charpente construite en bois est constituée
de plusieurs centaines de planches
qui s'entrecroisent, formant ainsi
une multitude d'angles.

Il n'est donc pas surprenant que les charpentières et les charpentiers s'y connaissent en géométrie. Voici diverses situations qui se présentent lors de la construction des charpentes. Pour simplifier le tout, on a représenté les planches par des droites.

Situation 1

Voici quatre angles créés par les droites d_1 et d_2 qui se coupent en un seul point.

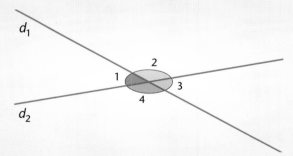

a. Quelle est la somme des mesures des angles 1, 2, 3 et 4?

b. Quelle est la somme des mesures des angles :

1) **1 et 2?**   2) **2 et 3?**   3) **3 et 4?**   4) **1 et 4?**

c. Si l'on effectue une rotation de 180° de l'angle 1 par rapport au point d'intersection des deux droites, que peux-tu dire des angles 1 et 3?

d. Si l'on effectue une rotation de 180° de l'angle 2 par rapport au point d'intersection des deux droites, que peux-tu dire des angles 2 et 4?

Situation 2

Voici huit angles créés par la droite d_3 qui coupe les droites parallèles d_1 et d_2.

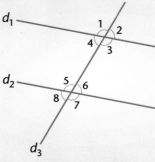

a. Que peux-tu dire des angles :

   1)   1 et 3?   2)   2 et 4?

   3)   5 et 7?   4)   6 et 8?

b. Si l'on effectue la translation des angles 1, 2, 3 et 4 selon la flèche de translation illustrée ci-contre, que peux-tu dire des angles :

   1)   1 et 5?   2)   2 et 6?

   3)   4 et 8?   4)   3 et 7?

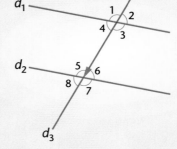

c. Que peux-tu dire des angles :

   1)   1, 3, 5 et 7?   2)   2, 4, 6 et 8?

d. Si les droites d_1 et d_2 n'étaient pas parallèles, aurait-on autant d'angles isométriques? Explique ta réponse.

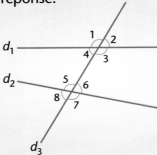

Situation 3

Voici une section d'une charpente. Les planches verticales, représentées par les lignes ci-dessous, sont parallèles. À l'aide des observations faites précédemment, détermine la mesure des angles 1 à 20.

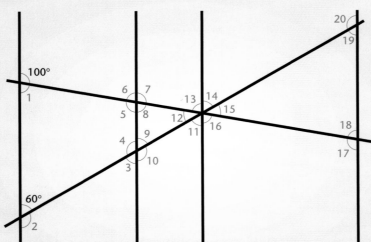

Isométries

Les transformations géométriques qui associent des figures isométriques, c'est-à-dire des figures ayant la même forme et les mêmes dimensions, sont des **isométries**.

Les **translations**, les **rotations** et les **réflexions** sont des isométries.

À noter que seules la rotation et la translation conservent l'**orientation des figures**.

Rotation	**Translation**	**Réflexion**
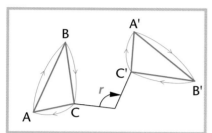	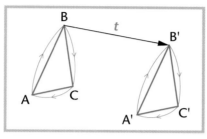	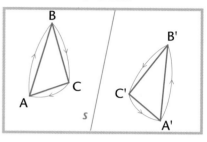

Triangle

La somme des mesures des angles intérieurs d'un triangle est 180°.

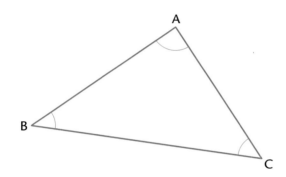

$$m \angle A + m \angle B + m \angle C = 180°$$

Angles déterminés par deux droites sécantes

Une **sécante** est une droite qui coupe une figure géométrique. Deux droites sécantes se coupent en un seul point.

Deux droites sécantes déterminent deux paires d'**angles opposés par le sommet**. Les angles opposés par le sommet sont isométriques.

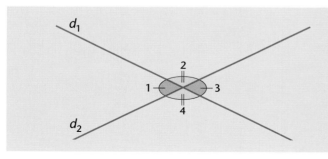

- Les angles 1 et 3 sont opposés par le sommet

  $\angle 1 \cong \angle 3$

- Les angles 2 et 4 sont opposés par le sommet

  $\angle 2 \cong \angle 4$

Calepin des **savoirs**

Angles

Deux angles sont **adjacents** s'ils :

- ont le même sommet ;
- ont un côté commun ;
- sont situés de part et d'autre du côté commun.

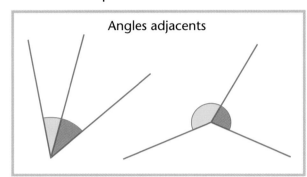

Angles adjacents

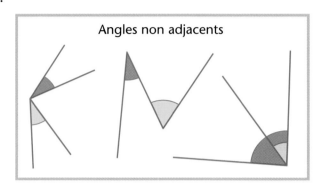

Angles non adjacents

Deux angles sont **complémentaires** si la somme de leurs mesures est 90°.

Ex. :

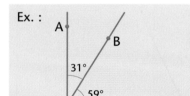

Les angles ADB et BDC sont complémentaires
car m ∠ ADB + m ∠ BDC = 31° + 59° = 90°.

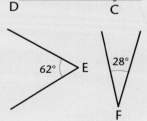

Les angles E et F sont complémentaires
car m ∠ E + m ∠ F = 62° + 28° = 90°.

Deux angles sont **supplémentaires** si la somme de leurs mesures est 180°.

Ex. :

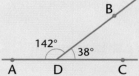

Les angles ADB et BDC sont supplémentaires
car m ∠ ADB + m ∠ BDC = 142° + 38° = 180°.

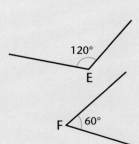

Les angles E et F sont supplémentaires
car m ∠ E + m ∠ F = 120° + 60° = 180°.

Angles créés par une droite sécante à deux autres droites

Certaines paires d'angles créés par une droite sécante à deux autres droites portent des noms particuliers.

Angles alternes-internes : deux angles n'ayant pas le même sommet, situés de part et d'autre de la sécante et à l'intérieur des deux autres droites.

Les angles 3 et 5 ainsi que 4 et 6 sont des angles alternes-internes.

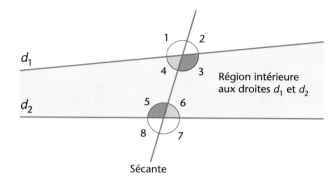

Angles alternes-externes : deux angles n'ayant pas le même sommet, situés de part et d'autre de la sécante et à l'extérieur des deux autres droites.

Les angles 1 et 7 ainsi que 2 et 8 sont des angles alternes-externes.

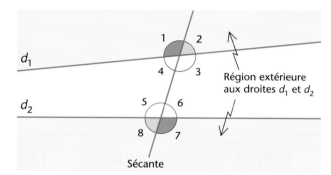

Angles correspondants : deux angles n'ayant pas le même sommet, situés du même côté de la sécante, l'un à l'intérieur et l'autre à l'extérieur des deux autres droites.

Les angles 1 et 5, 2 et 6, 3 et 7 ainsi que 4 et 8 sont des angles correspondants.

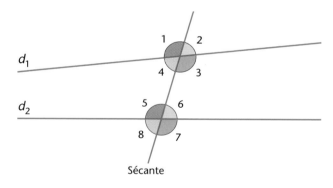

Lorsque deux droites parallèles sont coupées par une sécante :

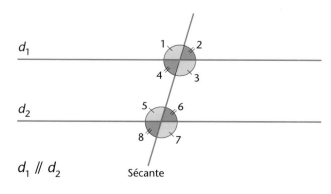

$d_1 /\!/ d_2$

- les angles alternes-internes sont isométriques :
  $\angle 4 \cong \angle 6$ et $\angle 3 \cong \angle 5$

- les angles alternes-externes sont isométriques :
  $\angle 1 \cong \angle 7$ et $\angle 2 \cong \angle 8$

- les angles correspondants sont isométriques :
  $\angle 1 \cong \angle 5$ et $\angle 2 \cong \angle 6$
  $\angle 4 \cong \angle 8$ et $\angle 3 \cong \angle 7$

On remarque alors que
$\angle 1 \cong \angle 3 \cong \angle 5 \cong \angle 7$
et
$\angle 2 \cong \angle 4 \cong \angle 6 \cong \angle 8$

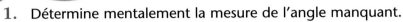

Coup d'œil

1. Détermine mentalement la mesure de l'angle manquant.

a)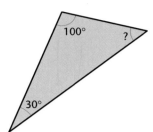

100°
?
30°

b)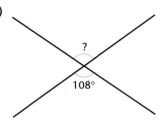

?
108°

c)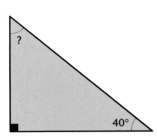

?
40°

d)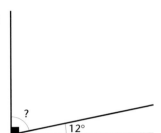

?
12°

e)

?
75°

f)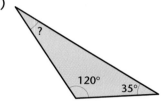

?
120°
35°

2. Les angles G et H sont complémentaires. Quelle est la mesure de l'angle G si celle de l'angle H est de :

a) 1°? b) 25°? c) 72°?

3. Les angles K et L sont supplémentaires. Quelle est la mesure de l'angle K si celle de l'angle L est de :

a) 1°? b) 65°? c) 135°?

4. L'angle AOB mesure 43°. Quelle est la mesure de l'angle qui lui est :

a) complémentaire? b) isométrique?

c) supplémentaire? d) opposé par le sommet?

5. La figure image A'B'C' a été obtenue à l'aide d'une isométrie. Détermine :

a) m $\overline{A'B'}$

b) m ∠ C'A'B'

c) Le périmètre du △ A'B'C'

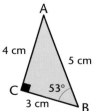

A
4 cm
5 cm
C
53°
3 cm
B

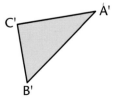

C'
A'
B'

6. Deux angles isométriques sont complémentaires. Quelle est la mesure de chacun?

7. Deux angles isométriques sont supplémentaires. Quelle est la mesure de chacun?

8. Vrai ou faux? À partir de la figure 1, on peut obtenir les figures 2, 3 et 4 :

a) par translation;

b) par réflexion;

c) par rotation.

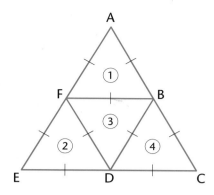

9. Les énoncés suivants sont-ils exacts? Explique ta réponse.

a) Deux droites perpendiculaires sont deux droites sécantes.

b) Deux droites sécantes peuvent être parallèles.

c) Deux droites perpendiculaires forment un seul angle droit.

10. a) Trace un triangle sur une feuille de papier.

b) Désigne par 1, 2 et 3 les angles intérieurs du triangle en inscrivant leur nom dans le triangle.

c) Tel que cela est illustré ci-contre, coupe les trois pointes du triangle.

d) Quelle sorte d'angle les trois pointes réunies par leur sommet forment-elles?

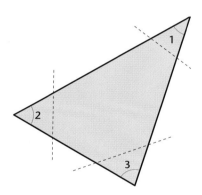

11. Dans chaque cas, déduis la mesure manquante.

a)
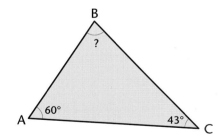

b)
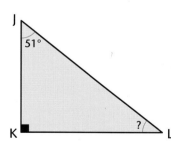

c)
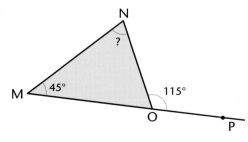

d)
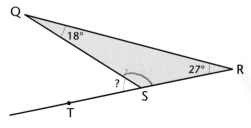

12. Quel est le nom d'un triangle qui a deux angles complémentaires?

13. Voici la vue de côté d'une table de pique-nique.
Le dessus de la table et les bancs sont parallèles au sol.
Détermine les mesures des angles 1 à 7.

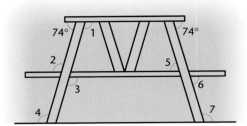

14. Quelles sont les mesures des angles intérieurs du △ ABC ? Explique ta démarche.

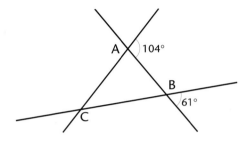

15. Un angle est formé de deux côtés. On dit
que le côté commun de deux angles
adjacents est le côté intérieur et que
les deux autres sont les côtés extérieurs.
Complète les phrases suivantes.

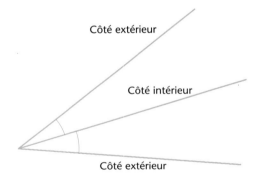

a) Deux angles adjacents dont les côtés
extérieurs sont perpendiculaires
sont ▧ .

b) Deux angles adjacents dont les côtés
extérieurs sont en ligne droite
sont ▧ .

16. a) Combien de paires d'angles adjacents deux droites sécantes forment-elles ?

b) Combien de paires d'angles supplémentaires deux droites sécantes
forment-elles ?

c) Combien de paires d'angles opposés par le sommet deux droites sécantes
forment-elles ?

17. À l'aide de la figure ci-contre, détermine
la ou les relations qui lient les paires
d'angles ci-dessous.

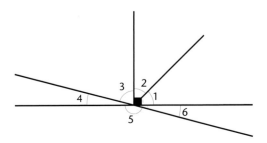

a) ∠ 1 et ∠ 6   b) ∠ 1 et ∠ 2

c) ∠ 4 et ∠ 6   d) ∠ 5 et ∠ 6

e) ∠ 3 et ∠ 4   f) ∠ 2 et ∠ 3

18. Pourquoi les angles donnés ne sont-ils pas adjacents ?

1) $\angle$ ABC et $\angle$ CDE

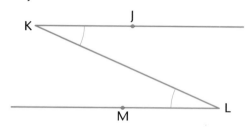

2) $\angle$ FGI et $\angle$ HGI

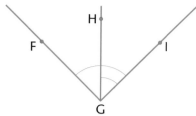

3) $\angle$ JKL et $\angle$ KLM

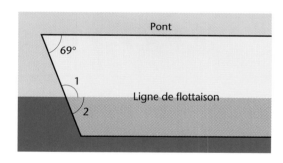

4) $\angle$ ONP et $\angle$ QNR

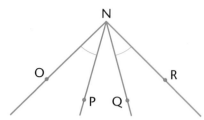

19. BATEAU Le plus gros paquebot au monde est le *Queen Mary 2*. Il est long de 345 m et haut de 74 m. Sa poupe, c'est-à-dire sa partie arrière, forme un angle d'environ 69° avec le pont du navire. Par temps calme, la ligne de flottaison est parallèle au pont. Détermine la mesure des angles 1 et 2.

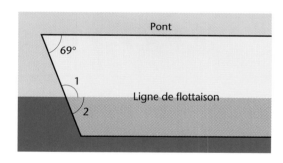

20. La rencontre d'une sécante et de deux droites parallèles forme huit angles. À quelle condition ces angles sont-ils tous isométriques ?

21. Voici un dallage obtenu à l'aide d'une même figure. Quelle transformation géométrique permet d'associer les figures :

a) 1 et 9 ?   b) 3 et 4 ?

c) 6 et 7 ?   d) 2 et 9 ?

e) 3 et 7 ?   f) 1 et 5 ?

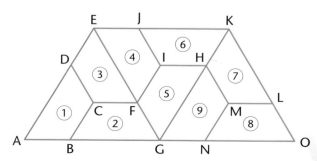

22. Est-il possible que la droite *d* et son image *d'* forment une paire de droites parallèles à la suite d'une :

a) translation ? Si oui, à quelle condition ?

b) rotation ? Si oui, à quelle condition ?

c) réflexion ? Si oui, à quelle condition ?

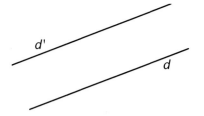

23. Est-il possible que la droite *d* et son image *d'* forment une paire de droites perpendiculaires à la suite d'une :

a) translation ? Si oui, à quelle condition ?

b) rotation ? Si oui, à quelle condition ?

c) réflexion ? Si oui, à quelle condition ?

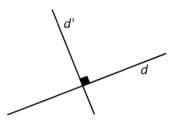

24. À l'aide d'un logiciel de géométrie dynamique :

On trace deux droites.

On trace un segment oblique joignant ces deux droites.

On affiche la mesure de deux angles.

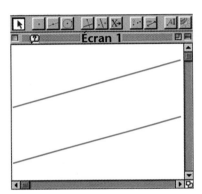

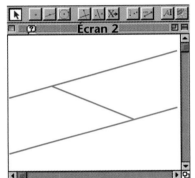

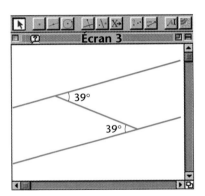

Que peut-on affirmer à propos des deux droites ? Pourquoi ?

25. MÉTAUX Les métaux ont la propriété d'absorber les ondes. C'est pourquoi on utilise des antennes en métal pour capter les ondes radioélectriques qui permettent, entre autres, d'écouter la radio.

Une antenne est constituée de quatre tiges métalliques parallèles montées sur un poteau. En utilisant la mesure indiquée, donne les mesures des angles 1, 2 et 3.

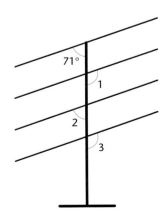

L'argent, l'aluminium, le cuivre et l'or sont les quatre meilleurs conducteurs électriques.

26. ÉCRAN PLAT Les rayons lumineux qui se reflètent dans l'écran d'un téléviseur ou d'un ordinateur ont pour effet de fatiguer l'œil et de diminuer la concentration. Comme le montrent les illustrations suivantes, l'utilisation d'écrans plats permet d'amoindrir les reflets.

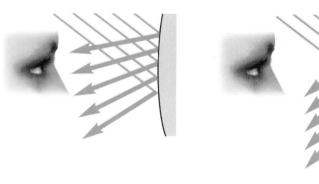
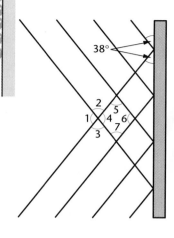

Dans l'illustration ci-contre, les rayons qui arrivent sur l'écran sont tous parallèles. L'angle d'arrivée et de départ par rapport à l'écran plat est le même pour tous les rayons. Détermine les mesures des angles indiqués.

27. Deux angles sont identifiés par trois lettres chacun. À quelle condition peut-on dire que ces deux angles ne sont assurément pas adjacents ?

28. On a tracé les droites parallèles AB et CD. On a ensuite relié les points M, N et O tel que cela est illustré pour former un triangle.

a) Comment pourrait-on utiliser les angles alternes-internes pour expliquer que la somme des mesures des angles intérieurs du triangle MNO est 180° ?

b) Si l'on déplace le point M le long de la droite AB, le résultat obtenu est-il toujours le même ?

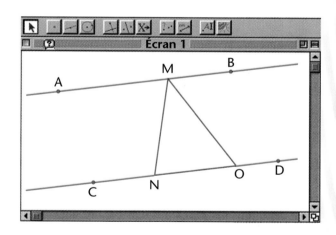

Un point est dit invariant si, à la suite d'une transformation géométrique, il est sa propre image. S'il y a lieu, relève les points invariants dans :

a) une rotation ; b) une translation ; c) une réflexion.

Société des maths

Sa vie

Thalès naquit vers l'an -624 à Milet, une ville qui serait aujourd'hui située en Turquie. Il passa une partie de sa vie à travailler dans le commerce maritime.

Plus tard, il devint politicien. Puis, il développa un goût particulier pour l'astronomie et les mathématiques.

Vers -600, il fonda une école où il enseignait l'astronomie. Thalès est aujourd'hui considéré comme l'un des plus grands savants grecs.

Thalès de Milet
(v. 624-v. 545
av. J.-C.)

L'astronomie et la navigation

Thalès de Milet aurait été le premier à repérer dans le ciel la Petite Ourse et à l'utiliser comme point de repère pour la navigation. Il savait aussi comment mesurer la distance d'un navire au rivage à l'aide d'une méthode utilisant des triangles et des mesures d'angles.

La Petite Ourse est une constellation composée de sept étoiles. La plus connue et la plus brillante est l'étoile Polaire, située à l'extrémité de la constellation. La Petite Ourse est aussi connue sous le nom de «Petit Chariot».

En observant l'ombre de la Terre sur la Lune, Thalès en déduisit que la Terre était ronde. Ses études en astronomie l'amenèrent également à déduire que la Terre était inclinée par rapport à l'orbite qu'elle décrit autour du Soleil.

On raconte que Thalès aurait prédit en l'an -585 l'arrivée d'une éclipse solaire. Ce qui se concrétisa le 28 mai de la même année. Puisque le phénomène paraissait bien étrange à cette époque, il provoqua une entente de paix entre deux peuples qui étaient jusque-là en guerre.

Thalès de Milet

L'eau et l'Univers

S'opposant aux croyances populaires de l'époque, Thalès rejeta l'idée que les dieux étaient responsables de tout ce qu'il se passait sur la Terre.

Thalès imagina plutôt un univers où l'eau était à la base de tout. Il prétendit que la Terre flottait sur l'eau et que les tremblements de terre étaient provoqués par les mouvements de l'eau.

Hauteur des pyramides

On raconte que, lors d'un voyage en Égypte, Thalès trouva une façon de mesurer la hauteur des pyramides. Il s'aperçut qu'à certaines heures de la journée, l'ombre de la pyramide projetée sur le sol avait la même longueur que la hauteur de la pyramide. Il lui suffit donc de mesurer l'ombre à ce moment précis pour connaître la hauteur des pyramides.

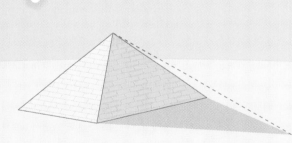

Les mathématiques

Grâce à ses voyages, Thalès se familiarisa avec la géométrie des Égyptiens et des Babyloniens. Il énonça plusieurs propriétés concernant les triangles et les cercles. En voici trois :

1) Tout diamètre partage un cercle en deux parties superposables.

2) Deux des angles d'un triangle isocèle sont superposables.

3) Deux angles opposés par le sommet sont superposables.

Même si l'on ne dispose pas des écrits de Thalès, plusieurs le considèrent comme le fondateur de la géométrie.

À TOI DE JOUER

1 Quelle est l'inclinaison de la Terre par rapport à l'horizontale ?

2
a) Quelle transformation géométrique utiliserais-tu pour vérifier l'énoncé 1) de Thalès ?

b) On désire vérifier l'énoncé 2) de Thalès à l'aide d'une réflexion. Décris la position de l'axe de réflexion.

c) On peut vérifier l'énoncé 3) de Thalès à l'aide d'une rotation. Donne le centre de rotation et la mesure de l'angle de rotation.

À TOI DE CHERCHER

3 À quels endroits sur le globe l'axe de rotation de la Terre passe-t-il ?

4 À quelles heures de la journée la mesure de ton ombre projetée sur le sol est-elle égale à celle de ta taille ?

D'où vient l'infographie ?

L'infographie est née de la rencontre de l'imprimerie et de l'informatique. C'est dans les années 1980 que les premiers logiciels destinés à l'infographie font leur apparition, dont le logiciel de mise en pages PageMaker, en 1985, et le logiciel de traitement de l'image Photoshop, en 1990.

Le terme *infographie* vient de la combinaison des mots *informatique* et *graphie*, qui veut dire « écriture ».

Que fait l'infographiste ?

L'infographiste est un ou une spécialiste de la présentation visuelle qui utilise l'ordinateur comme outil de travail. Cette personne conçoit l'agencement du texte et des images dans la mise en pages d'un journal, d'un magazine ou d'une affiche publicitaire.

Les infographistes travaillent principalement dans les domaines de l'édition (livres, journaux et magazines) et de la publicité. On les trouve aussi dans l'industrie des jeux électroniques et du multimédia, ainsi que dans les studios de télévision et de cinéma.

Texte	
Police	▶
Corps	▶
Style	▶
Couleur	▶

Pour chaque bloc de texte, l'infographiste choisit la police, le corps, le style, la couleur et la disposition. Pour chaque image, il ou elle choisit la taille, les couleurs, les effets et la disposition.

Certaines règles de base

Pour agencer plusieurs éléments graphiques dans une page, l'infographiste doit tenir compte de certaines règles de base.

Sur une page Web, les outils de navigation sont généralement placés dans le haut de la page ou dans la partie de gauche. C'est logique, car ces deux espaces sont visibles quelle que soit la taille de l'écran.
Ces emplacements respectent aussi nos habitudes de lecture, soit de la gauche vers la droite et du haut vers le bas. Lorsqu'on balaie la page du regard, on remarque immédiatement ces deux espaces.

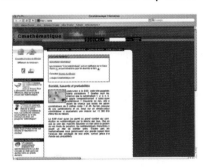

Il en va de même pour la page couverture d'un journal : le titre est placé en haut et le sommaire, sur le côté gauche. L'espace du milieu est alors consacré à la lecture.

Infographiste

Les logiciels et la géométrie

Dans son travail, l'infographiste utilise principalement des logiciels de mise en pages, de traitement de l'image et de dessin, et d'animation. La plupart de ces logiciels comportent des commandes inspirées de la géométrie des transformations qui permettent de modifier la position et l'orientation du texte et des images. Voici le menu d'un logiciel offrant de telles commandes :

Effets
Homothétie
Rotation 90°
Rotation...
Rotation manuelle
Miroir horizontal (▢▬)
Miroir vertical (▣)

Ces commandes permettent aux infographistes de faire des présentations originales. Elles sont utilisées, par exemple, pour concevoir des logos qui servent à promouvoir des entreprises ou des événements.

❶

❷

❸

❹
Terre (logo inversé)

1. Voici des figures construites à l'aide d'un logiciel de dessin. Si l'on utilise la figure 1, quel effet du menu permet d'obtenir :
   a) la figure 2 ?
   b) la figure 3 ?

2. Trace tous les axes de symétrie que l'on trouve dans les logos ❶, ❷, ❸ et ❹.

3. Quels effets dois-tu appliquer aux lettres du mot **Terre** pour obtenir le logo ❹ ?

4. Les infographistes travaillent parfois en 3D. Quelles transformations peux-tu déceler dans ces illustrations ?
   a)

   b)
   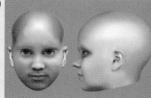

À **TOI** DE
CHERCHER

5. À l'aide d'un logiciel de dessin, explique comment on peut reproduire le logo ❸ à l'aide de la figure ci-contre.

6. À l'aide d'un logiciel de dessin, construis un logo en utilisant à au moins une reprise les commandes Rotation, Miroir horizontal et Miroir vertical.

1. Quelle figure géométrique suggère :

   a) la rencontre d'un mur avec le sol ?

   b) les rails d'une voie ferrée ?

   c) l'intersection de deux rues ?

   d) l'écartement maximal entre ton pouce et ton index ?

2. **MONDE** En 2001, le nombre de pays dans le monde était environ 240. Chaque pays possède un drapeau comme emblème national. Sans tenir compte des couleurs, combien de drapeaux parmi les suivants sont symétriques par rapport à un axe de symétrie :

   a) vertical ?

   b) horizontal ?

   c) oblique ?

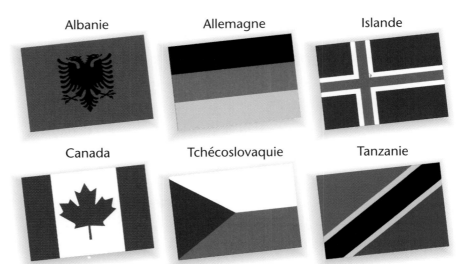

3. **ILLUSION D'OPTIQUE** Lorsqu'on regarde un objet, il arrive parfois que le cerveau fasse des erreurs d'interprétation qui provoquent des illusions d'optique, c'est-à-dire des représentations mentales qui diffèrent de la réalité. Dans quelle figure les lignes rouges sont-elles droites et parallèles ?

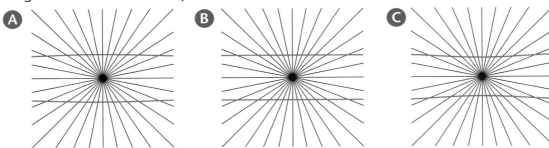

4. Si m $\overline{AB}$ = 7 cm et m $\overline{BC}$ = 3 cm, quelle est la mesure :

   a) maximale du $\overline{AC}$?

   b) minimale du $\overline{AC}$?

5. a) Sur une feuille, trace un segment et nomme ses extrémités A et B.

   b) Plie la feuille de manière à ce que le point A coïncide avec le point B.

   c) Quel est l'angle formé par l'intersection du pli et du segment AB ?

   d) Par rapport au segment AB, comment nomme-t-on la droite qui correspond au pli de la feuille ?

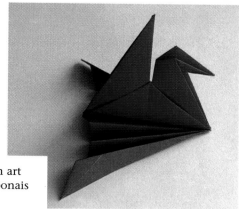

L'origami est un art traditionnel japonais du papier plié.

6. a) Sur une feuille, trace deux demi-droites ayant la même origine.

   b) Mesure l'angle formé par les deux demi-droites.

   c) Plie la feuille de manière à ce que les deux demi-droites se superposent.

   d) Sans utiliser de rapporteur, détermine la mesure de l'angle formé par le pli et l'une des demi-droites.

   e) Par rapport aux demi-droites, comment nomme-t-on la droite qui correspond au pli de la feuille ?

7. a) Plie une feuille et nomme d_1 la droite ainsi formée.

   b) Plie la feuille de manière à ce que la droite d_1 retombe sur elle-même et nomme d_2 la nouvelle droite ainsi formée.

   c) Plie la feuille de manière à ce que la droite d_2 retombe sur elle-même et nomme d_3 la nouvelle droite ainsi formée.

   d) Quelle est la position relative des droites :

      1) d_1 et d_2 ?   2) d_2 et d_3 ?   3) d_1 et d_3 ?

8. On a placé sur une feuille les points A et B. Simplement en pliant la feuille, explique comment tu peux obtenir avec certitude des plis parallèles passant par ces points.

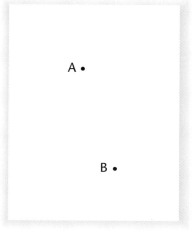

A •

B •

9. Les figures 1, 2 et 3 sont isométriques.
   À l'aide de la figure 1, explique comment
   on peut obtenir les figures 2 et 3 :

   a) par rotation;

   b) par réflexion.

10. **ÉOLIENNE** Les éoliennes servent à produire de l'énergie à l'aide
    des vents. Une éolienne compte généralement de une à trois
    pales qui tournent sous l'action du vent. Quelle est l'angle
    de rotation qu'une pale engendre si elle tourne :

    a) d'un tour?   b) de trois tours?

    c) d'un demi-tour?   d) d'un quart de tour?

    e) d'un sixième de tour?   f) d'un dixième de tour?

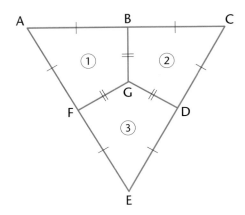

Le mot *éolienne* vient
de «Éole», le dieu
grec des vents.

11. Sur un cadenas à numéros, on doit
    effectuer, à partir du numéro 21,
    un mouvement correspondant à
    une rotation de 92° dans le sens horaire
    pour s'arrêter au numéro 44. Combien
    de numéros compte le cadran du cadenas?

12. **HISTOIRE** L'utilisation des degrés vient du système
    de numération babylonien. Le degré correspondait à
    la mesure de chacun des angles obtenus en subdivisant
    un cercle, à partir de son centre, en 360 parties identiques.

    a) Le système de numération babylonien est à base soixante.
       Quel lien existe-t-il entre cette base et la façon dont
       les Babyloniens subdivisaient un cercle?

    b) Pour mesurer des angles avec plus de précision,
       les Babyloniens subdivisaient le degré en 60 minutes,
       la minute en 60 secondes et la secondes en 60 tierces.

       1) Combien de secondes y a-t-il dans 1°?

       2) Combien de minutes y a-t-il dans 3°?

       3) Combien de tierces y a-t-il dans 60°?

13. La droite passant par les milieux des côtés opposés d'un quadrilatère correspond parfois à un axe de symétrie de cette figure. Est-ce le cas pour un :

a) carré ?

b) rectangle ?

c) losange ?

d) parallélogramme ?

Exemple d'une droite passant par les milieux des côtés opposés d'un quadrilatère.

14. Dans chaque cas, déduis la mesure manquante en tenant compte des informations données. Explique ta démarche.

a)

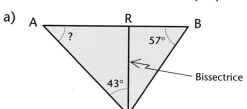

Bissectrice

b)

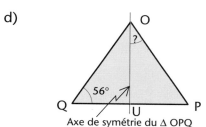

Médiatrice

c)

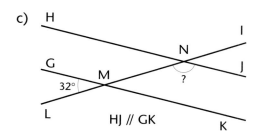

HJ // GK

d)

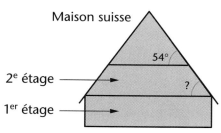

Axe de symétrie du △ OPQ

15. ARCHITECTURE Les pays ont souvent un style de maison qui leur est propre. Le style de maison est souvent adapté au climat du pays. Ainsi, la maison suisse est caractérisée par un toit qui se prolonge sur les côtés de la maison et la maison canadienne est caractérisée par des lucarnes dans la toiture.

a) Les plafonds et les planchers de cette maison sont parallèles. Si les côtés du toit de cette maison suisse et le plafond du deuxième étage forment un angle de 54°, détermine la mesure de l'angle formé par un côté du toit et le plancher du deuxième étage.

Maison suisse

2ᵉ étage

1ᵉʳ étage

b) Le haut du toit de cette maison canadienne et la corniche sont parallèles. Si le haut du toit et ses côtés forment des angles de 141° et de 153°, détermine la mesure des angles formés par les côtés du toit et la corniche.

Maison canadienne

Corniche

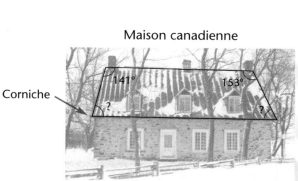

16. Les énoncés suivants sont-ils vrais? Accompagne tes réponses de dessins.

   a) Si l'on additionne les mesures de deux angles aigus, on obtient la mesure d'un angle obtus.

   b) Si l'on additionne la mesure d'un angle aigu à celle d'un angle obtus, on obtient la mesure d'un angle rentrant.

   c) La bissectrice d'un angle crée deux nouveaux angles qui sont adjacents.

17. On a construit un flocon à l'aide d'un triangle équilatéral. On a séparé chaque côté du triangle en trois segments isométriques et on a dessiné un autre triangle équilatéral au milieu de chacun des côtés. Puis on a refait la même opération sur les côtés des nouveaux triangles équilatéraux.

Premier flocon   **Deuxième flocon**   **Troisième flocon**

   a) Détermine, sans utiliser de rapporteur :

   1) m ∠ 1   2) m ∠ 2   3) m ∠ 3   4) m ∠ 4   5) m ∠ 5

   b) Combien y a-t-il d'axes de symétrie dans :

   1) le premier flocon?   2) le deuxième flocon?   3) le troisième flocon?

   c) Si on dessinait un quatrième flocon, combien d'axes de symétrie aurait-il?

18. Plusieurs disciplines sportives ou artistiques par équipe, comme le patinage synchronisé ou le ballet jazz, exigent la formation de figures par les participants et les participantes. L'un des déplacements simultanés de plusieurs participants et participantes est le bloc.

   Les éléments imposés d'une compétition de patinage comportent le déplacement d'un bloc de neuf personnes. Le bloc doit notamment faire une rotation d'un quart de tour en gardant un coin immobile, et une autre rotation de trois quarts de tour autour d'une des quatre personnes situées au milieu des côtés.

   Tu es responsable de la chorégraphie du groupe. Prépare, pour chacune des neuf personnes, une description comportant le schéma des déplacements que chaque participant ou participante doit effectuer dans ces deux parties de la chorégraphie.

Album
Table des matières

STRATÉGIES

TECHNOLOGIES

SAVOIRS

Stratégies pour la résolution de situations-problèmes

Voici une démarche que tu peux utiliser comme guide pour résoudre des situations-problèmes.

STRATÉGIES

Compréhension

1. Pour bien **comprendre** une situation-problème, lis-la attentivement et pose-toi les questions suivantes :
   - Me suis-je représenté la situation mentalement ou par écrit ?
   - Ai-je reformulé la situation en mes propres mots ?
   - Ai-je distingué les données importantes des données inutiles ?
   - Ai-je bien dégagé la tâche à réaliser ?
   - Ai-je déjà résolu un problème semblable ?

Organisation

2. L'**organisation** du travail consiste à établir des liens entre les données et à choisir une stratégie de résolution. Voici quelques-unes de ces stratégies :
   - Diviser un problème complexe en sous-problèmes (p. 217)
   - Procéder par essais et erreurs (p. 218)
   - Travailler à rebours (p. 219)
   - Analyser un problème plus simple (p. 220)
   - Organiser et justifier sa démarche en géométrie (p. 221)
   - Utiliser des dessins, des tableaux, des graphiques, du matériel concret, des instruments de géométrie ou un ordinateur pour organiser et déduire des informations (p. 222 et 223)

Solution

3. Utilise tes connaissances et les outils dont tu disposes pour appliquer ta stratégie et donner la **solution**. Les questions suivantes t'aideront à résoudre la situation-problème.
   - Ai-je estimé la réponse ?
   - Ai-je effectué mes calculs et mes déductions à l'aide de l'outil approprié (à la main, matériel concret, calculatrice ou ordinateur) ?
   - Ai-je écrit la réponse complète sous la forme d'un énoncé ?

Validation

4. Pose-toi les questions suivantes afin de **valider** ta solution.
   - Ai-je répondu à la question ?
   - Ai-je vérifié mes calculs ?
   - La réponse obtenue a-t-elle du sens ?
   - Est-ce la seule réponse possible ?
   - Puis-je résoudre la situation autrement ?
   - Puis-je faire le problème à rebours ?
   - La réponse correspond-elle à mon estimation ?
   - Ai-je comparé ma démarche et ma réponse à celles d'autres élèves ?
   - Puis-je vérifier ma réponse à l'aide d'exemples ?

Communication

5. Pose-toi les questions suivantes afin de savoir si tu as bien **communiqué** les informations tout au long du processus de résolution.
   - Ai-je utilisé adéquatement le langage courant et le langage mathématique ?
   - Ai-je communiqué à l'aide de différents modes de représentation ?
   - Suis-je capable d'expliquer mon raisonnement ?

1. Diviser un problème complexe en sous-problèmes

Il y a bien longtemps que l'être humain a imaginé des moyens pour exploiter les vents. C'est vers le 7e siècle qu'apparaissent en Europe les premiers moulins à vent. On les utilisait surtout pour pomper l'eau ou moudre le grain. Aujourd'hui, en appliquant la même idée, on se sert d'éoliennes pour produire de l'électricité.

Au cours d'une journée, une éolienne a fonctionné pendant 5 h 12 min. Si l'hélice fait 9 tours en 40 s, combien de tours a-t-elle effectués durant cette journée ?

Communication

Compréhension

☑ J'ai distingué les données importantes des données inutiles. Les données importantes sont :
- L'hélice fait 9 tours en 40 s.
- L'éolienne a fonctionné pendant 5 h 12 min.

☑ J'ai dégagé la tâche à réaliser.
- Calculer le nombre de tours que l'hélice a effectués durant cette journée.

Organisation

☑ Stratégie : Diviser un problème complexe en sous-problèmes.
1. Exprimer en secondes le temps durant lequel l'hélice a fonctionné.
2. Diviser le temps de fonctionnement en tranches de 40 s.
3. Multiplier par 9 pour connaître le nombre de tours effectués par l'éolienne.

Solution

- Le temps (5 h 12 min) en secondes :

  5 h : $5 \times 60 = 300$ min

  5 h 12 min : $300 + 12 = 312$ min

  312 min : Estimation : $312 \times 60 \approx 300 \times 60 = 18\ 000$

  Calcul exact : $312 \times 60 = 18\ 720$

- Nombre de tranches de 40 s :

  Estimation : $18\ 720 \div 40 \approx 20\ 000 \div 40 = 500$

  Calcul exact : $18\ 720 \div 40 = 468$

- Nombre de tours :

  Estimation : $468 \times 9 \approx 500 \times 9 = 4500$

  Calcul exact : $468 \times 9 = 4212$

- Réponse : L'hélice a fait 4212 tours en 5 h 12 min.

Validation

☑ J'ai vérifié les calculs.

☑ Je fais le problème à rebours : $4212 \div 9 = 468$

$468 \times 40 = 18\ 720$

$18\ 720 \div 60 = 312$

312 min = 5 h 12 min

2. Procéder par essais et erreurs

Marie a le double de l'âge de sa cousine Sophia. Leur arrière-grand-mère Alice a 60 ans de moins que le produit de l'âge des cousines. La somme des âges des trois femmes est 129 ans. Quel est l'âge de chacune?

STRATÉGIES

Compréhension

☑ J'ai distingué les données importantes des données inutiles. Les données importantes sont :
- Marie a le double de l'âge de Sophia.
- Alice a 60 ans de moins que le produit des âges de Marie et de Sophia.
- La somme des âges de Marie, de Sophia et de leur arrière-grand-mère est 129 ans.

☑ J'ai dégagé la tâche à réaliser.
- Déterminer l'âge de Marie, de Sophia et de leur arrière-grand-mère.

Organisation

☑ Stratégie : Procéder par essais et erreurs.
- Construire un tableau pour structurer les essais.
- Déduire l'âge de Marie et d'Alice à partir de celui de Sophia.

Solution

Essais	Âge de Sophia	Âge de Marie	Âge d'Alice	Somme des trois âges	Analyse
1er	4	$2 \times 4 = 8$	$4 \times 8 - 60 = {-}28$ -28 ans : pas de sens	calcul inutile	Sophia a plus de 4 ans
2e	15	$2 \times 15 = 30$	$15 \times 30 - 60 = 390$ 390 ans : pas de sens	calcul inutile	Sophia a moins de 15 ans
3e	8	$2 \times 8 = 16$	$8 \times 16 - 60 = 68$	$8 + 16 + 68 = 92$	Sophia a plus de 8 ans
4e	9	$2 \times 9 = 18$	$9 \times 18 - 60 = 102$	$9 + 18 + 102 = 129$	Bonne réponse

- Réponse : Sophia a 9 ans, Marie a 18 ans et Alice a 102 ans.

Validation

☑ J'ai vérifié les calculs.
☑ La réponse a du sens car l'arrière-grand-mère est beaucoup plus âgée que les cousines.

Communication

3. Travailler à rebours

Un contenant est rempli d'eau. On en vide la moitié, puis on ajoute 2 L d'eau.
Après avoir répété cette opération trois autres fois, il reste 7 L d'eau dans le contenant.
Quelle quantité d'eau y avait-il dans le contenant au départ ?

Compréhension

☑ J'ai représenté la situation par un dessin.

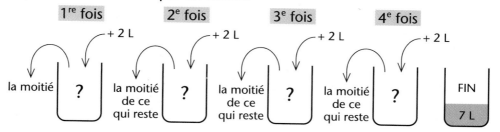

☑ J'ai distingué les données importantes des données inutiles. Les données importantes sont :
- Quatre fois de suite, on vide la moitié d'un contenant, puis on ajoute 2 L.
- Il reste 7 L d'eau dans le contenant à la fin.

☑ J'ai dégagé la tâche à réaliser.
- Calculer le nombre de litres d'eau qu'il y avait dans le contenant au départ.

Organisation

☑ Stratégie : Travailler à rebours, c'est-à-dire commencer par la fin du problème et remonter jusqu'au début.
1. À la fin, il y a 7 L d'eau dans le contenant.
2. De ce 7 L, enlever 2 L et doubler la quantité d'eau pour déterminer la quantité d'eau qu'il y avait dans le contenant à la fin de l'étape précédente.
3. Répéter cette démarche trois autres fois.

Solution

4e fois
7 − 2 = 5
5 × 2 = 10
Il y a 10 L d'eau dans le contenant.

3e fois
10 − 2 = 8
8 × 2 = 16
Il y a 16 L d'eau dans le contenant.

2e fois
16 − 2 = 14
14 × 2 = 28
Il y a 28 L d'eau dans le contenant.

1re fois
28 − 2 = 26
26 × 2 = 52
Il y avait 52 L d'eau au départ.

- Réponse : Il y avait 52 L d'eau au départ dans le contenant.

Validation

☑ Je refais le problème.
Il y a 52 L d'eau au départ.
- **1re fois** : J'en vide la moitié, il reste 26 L, puis j'ajoute 2 L. Il y a maintenant 28 L.
- **2e fois** : J'en vide la moitié, il reste 14 L, puis j'ajoute 2 L. Il y a maintenant 16 L.
- **3e fois** : J'en vide la moitié, il reste 8 L, puis j'ajoute 2 L. Il y a maintenant 10 L.
- **4e fois** : J'en vide la moitié, il reste 5 L, puis j'ajoute 2 L. Il y a maintenant 7 L.

Communication

4. Analyser un problème plus simple

Un virus informatique peut nuire au fonctionnement d'un ordinateur. Heureusement, il existe des spécialistes de la détection et de l'élimination de virus.

Une programmeuse met au point un antivirus le 1er avril. Le lendemain, elle transmet l'information à deux autres personnes. Chaque jour par la suite, chacune des personnes nouvellement informées transmet l'information à deux autres personnes n'ayant pas l'antivirus. Combien de personnes au total auront l'antivirus le 25 avril de la même année?

Compréhension

☑ J'ai représenté la situation par un schéma.

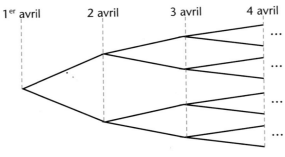

☑ J'ai distingué les données importantes des données inutiles. Les données importantes sont :
- Il y a une personne au départ.
- Chaque jour, chaque personne transmet l'antivirus à deux nouvelles personnes.
- La durée est de 25 jours.

☑ J'ai dégagé la tâche à réaliser.
- Calculer le nombre total de personnes ayant l'antivirus le 25 avril.

Organisation

☑ Stratégie : Analyser un problème plus simple et rechercher une régularité.
- Résoudre le problème pour une durée de 5 jours seulement.

Solution

Date	Nombre de personnes		
1er avril	$2^0 = 1$	ou	$2^1 - 1 = 1$
2 avril	$2^0 + 2^1 = 3$	ou	$2^2 - 1 = 3$
3 avril	$2^0 + 2^1 + 2^2 = 7$	ou	$2^3 - 1 = 7$
4 avril	$2^0 + 2^1 + 2^2 + 2^3 = 15$	ou	$2^4 - 1 = 15$
5 avril	$2^0 + 2^1 + 2^2 + 2^3 + 2^4 = 31$	ou	$2^5 - 1 = 31$

Le nombre total de personnes informées une journée donnée peut se calculer à l'aide de l'expression $2^{(\text{nombre de jours})} - 1$.

Réponse : Il y aura $2^{25} - 1$ ou 33 554 431 personnes qui auront l'antivirus le 25 avril.

Validation

☑ J'ai comparé ma démarche et ma réponse avec celles d'autres élèves.

5. Organiser et justifier sa démarche en géométrie

Les arpenteurs et les arpenteuses sont des spécialistes chargés d'effectuer des calculs concernant la position et les dimensions d'un terrain. Ils et elles utilisent parfois des photos aériennes pour effectuer leur travail.

À partir des informations apparaissant sur la photo ci-contre, détermine la mesure de l'angle EDF.

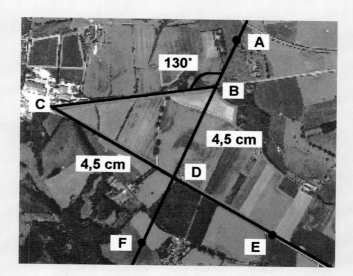

Compréhension

☑ J'ai distingué les données importantes des données inutiles.
  • Les données importantes sont fournies sur la photo.
☑ J'ai dégagé la tâche à réaliser.
  • Déduire la mesure de l'angle EDF.

Organisation

☑ Stratégie : Organiser et justifier sa démarche en géométrie.
  • Justifier par une ou des propriétés chacune des affirmations.

Communication — Solution

Affirmations	Justifications
1° m ∠ CBD = 50°	1° Les angles ABC et CBD sont adjacents et supplémentaires : m ∠ CBD = 180° − m ∠ ABC = 180° − 130° = 50°
2° Le △ BCD est isocèle.	2° Le △ BCD a deux côtés isométriques : $\overline{BD} \cong \overline{CD}$.
3° m ∠ BCD = 50°	3° Dans un triangle isocèle, les angles opposés aux côtés isométriques sont isométriques : ∠ CBD ≅ ∠ BCD.
4° m ∠ BDC = 80°	4° La somme des mesures des angles intérieurs d'un triangle est 180° : m ∠ BDC = 180° − m ∠ BCD − m ∠ CBD = 180° − 50° − 50° = 80°
5° m ∠ EDF = 80°	5° Les angles opposés par le sommet sont isométriques : ∠ BDC ≅ ∠ EDF.

Réponse : La mesure de l'angle EDF est 80°.

Validation

☑ J'ai vérifié les calculs.

6. Représenter une situation à l'aide d'un dessin

Dans la salle d'attente d'une clinique dentaire se trouvent deux téléviseurs. L'un présente des émissions pour enfants et l'autre, des bulletins d'informations. Pendant les émissions pour enfants, il y a des publicités de 2 minutes à la 9e, 18e, 32e, 45e et 55e minute de chaque heure. Pendant les bulletins d'informations, il y a des publicités de 3 minutes à la 10e, 20e, 31e, 40e et 55e minute de chaque heure. Quelle est la probabilité qu'une personne arrive dans la salle d'attente pendant que les deux téléviseurs affichent des publicités?

Compréhension

☑ J'ai distingué les données importantes des données inutiles. Les données importantes sont :
- Publicités de 2 minutes à la 9e, 18e, 32e, 45e et 55e minute de chaque heure.
- Publicités de 3 minutes à la 10e, 20e, 31e, 40e et 55e minute de chaque heure.

☑ J'ai dégagé la tâche à réaliser.
- Déterminer le nombre de minutes par heure où les deux téléviseurs affichent en même temps des publicités.

Organisation

☑ Stratégie : Représenter la situation à l'aide d'un dessin.
1. Représenter, pour une heure, les publicités des émissions pour enfants.
2. Représenter, pour une heure, les publicités des bulletins d'informations.
3. Comparer les deux représentations.

Communication

Solution

- Émissions pour enfants : publicités de 2 minutes à la 9e, 18e, 32e, 45e et 55e minute de chaque heure

60 min (en rouge : temps d'une publicité)

- Bulletins d'informations : publicités de 3 minutes à la 10e, 20e, 31e, 40e et 55e minute de chaque heure

60 min (en rouge : temps d'une publicité)

- Comparaison

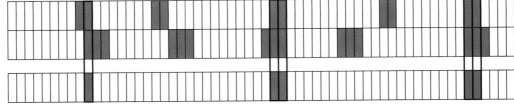

- 5 min sur un total de 60, donc $\frac{5}{60} = \frac{1}{12}$.

- Réponse : La probabilité que les deux téléviseurs affichent en même temps des publicités est de $\frac{1}{12}$.

Validation

☑ La réponse a du sens, car la probabilité est un nombre de 0 à 1.
☑ J'ai comparé ma démarche et ma solution avec celles d'autres élèves.

7. Utiliser un tableau pour organiser et déduire des informations

Voici les notes obtenues par cinq élèves à un test de français : 55 %, 61 %, 67 %, 80 % et 83 %. À partir des indices suivants, détermine la note de chaque élève.

1) Claude et Benoît ont les notes les moins élevées.
2) Eugène a une meilleure note que David.
3) Claude est le plus grand des cinq élèves.
4) Anick a la meilleure note.
5) L'écart entre la note de David et celle de Claude est inférieur à 10 %.

Compréhension

☑ J'ai distingué les données importantes des données inutiles. La donnée inutile est :
• Claude est le plus grand des cinq élèves.
☑ J'ai dégagé la tâche à réaliser.
• Associer chaque nom à une note.

Organisation

☑ Stratégie : Utiliser un tableau pour organiser et déduire des informations.

Solution

1. L'indice 1 permet d'éliminer certaines possibilités.

	55 %	61 %	67 %	80 %	83 %
Anick	X	X			
Benoît			X	X	X
Claude			X	X	X
David	X	X			
Eugène	X	X			

2. L'indice 4 permet de déterminer la note d'Anick.

	55 %	61 %	67 %	80 %	83 %
Anick	X	X	X	X	✔
Benoît			X	X	X
Claude			X	X	X
David	X	X			X
Eugène	X	X			X

3. L'indice 2 permet de déterminer les notes de David et d'Eugène.

	55 %	61 %	67 %	80 %	83 %
Anick	X	X	X	X	✔
Benoît			X	X	X
Claude			X	X	X
David	X	X	✔	X	X
Eugène	X	X	X	✔	X

4. L'indice 5 permet de déterminer les notes de Benoît et de Claude.

	55 %	61 %	67 %	80 %	83 %
Anick	X	X	X	X	✔
Benoît	✔	X	X	X	X
Claude	X	✔	X	X	X
David	X	X	✔	X	X
Eugène	X	X	X	✔	X

Réponse : Anick a 83 %, Benoît 55 %, Claude 61 %, David 67 % et Eugène 80 %.

Validation

☑ Les conditions sont respectées : Claude et Benoît ont les plus basses notes; Eugène a une meilleure note que David; Anick a la meilleure note et l'écart entre la note de David et celle de Claude est inférieur à 10 %.
☑ J'ai comparé ma démarche et ma réponse avec celles d'autres élèves.

Calculatrice

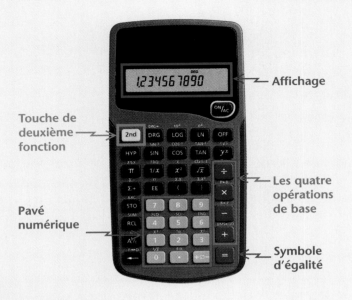

Affichage

Touche de deuxième fonction

Pavé numérique

Les quatre opérations de base

Symbole d'égalité

Comment vérifier si la calculatrice tient compte des priorités des opérations ?

Afin de le vérifier, utiliser la chaîne d'opérations suivante :

13 **+** 4 **−** 5 **×** 4 **÷** 2 **=**

Si la calculatrice affiche **7**, elle respecte les priorités des opérations. Sinon, elle ne respecte pas les priorités des opérations.

Il est à noter que selon le modèle de calculatrice utilisé, l'ordre dans lequel il faut appuyer sur les touches pour utiliser les différentes fonctions peut varier.

Fonction	Définition	Exemple
ON/AC	Mise en marche de la calculatrice ou réinitialisation des calculs.	
OFF	Mise hors fonction de la calculatrice.	
2nd	Pour accéder à la deuxième fonction des touches. Souvent d'une couleur différente.	
+, −, ×, ÷	Les quatre opérations de base : addition, soustraction, multiplication et division.	13 **×** 4 = 52
=	Symbole d'égalité.	13 + 4 **=** 17
+/−	Affiche le signe opposé.	8 **+/−** affichera -8
( )	Pour insérer une expression entre des parenthèses.	13 × **(** 4 − 1 **)** = 39
x^2	Pour déterminer la deuxième puissance d'un nombre.	5 **x^2** = 25
y^x ou a^b	Pour déterminer une puissance d'un nombre.	3 **y^x** 4 = 81
10^x	Pour déterminer une puissance de 10.	2 **10^x** = 100
$a^b/_c$	Pour saisir une fraction ou un nombre fractionnaire.	6 **$a^b/_c$** 4 **$a^b/_c$** 5 affichera 6_4⌐5
d/c	Pour alterner l'affichage entre fraction et nombre fractionnaire.	9 $a^b/_c$ 4 **2nd** **d/c** affichera 2_1⌐4
%	Pour transformer un nombre écrit sous la forme d'un pourcentage en notation décimale.	5 **%** affichera 0,05

Il peut y avoir plusieurs raisons pour que la calculatrice affiche un message d'erreur tel que « Err » ou « Error ». Par exemple : une division par 0 a été effectuée, le résultat est un nombre dépassant l'affichage possible de la calculatrice ou le calcul demandé n'existe pas.

Tableur

Un tableur est aussi appelé un chiffrier électronique. Ce type de logiciel permet d'effectuer des calculs sur des nombres entrés dans une cellule. On utilise principalement le tableur pour réaliser des calculs de façon automatique sur un grand nombre de données, construire des tableaux et tracer plusieurs types de graphiques.

Interface du tableur

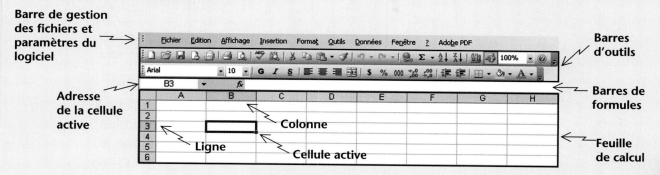

Barre de gestion des fichiers et paramètres du logiciel

Adresse de la cellule active

Colonne

Ligne

Cellule active

Barres d'outils

Barres de formules

Feuille de calcul

Qu'est-ce qu'une cellule ?

Une cellule est l'intersection entre une ligne et une colonne. Une ligne est désignée par un nombre et une colonne par une lettre. Ainsi, la première cellule en haut à gauche est nommée A1.

Entrée de nombres, de texte et de formules

On peut entrer un nombre, du texte ou une formule dans une cellule après avoir cliqué dessus.

L'utilisation d'une formule permet de faire des calculs à partir de nombres déjà entrés dans les cellules. Pour entrer une formule dans une cellule, il suffit de la sélectionner, puis de commencer la saisie par le symbole « = ».

Exemple 1 : dans la cellule B6, on a utilisé la formule =SOMME(B2:B5), ce qui correspond à la somme des nombres des cellules B2 à B5.

Exemple 2 : dans la cellule E4, on a utilisé la formule =E2+E3, ce qui correspond à la somme des nombres des cellules E2 et E3.

	A	B	C	D	E
1	Première secondaire			Troisième secondaire	
2	Groupe 11	400 $		Groupe 31	450 $
3	Groupe 12	750 $		Groupe 32	700 $
4	Groupe 13	200 $		Total	1 150 $
5	Groupe 14	150 $			
6	Total	1 500 $			
7				Quatrième secondaire	
8				Groupe 41	700 $
9	Deuxième secondaire			Groupe 42	650 $
10	Groupe 21	250 $		Total	1 350 $
11	Groupe 22	900 $			
12	Groupe 23	700 $			
13	Total	1 850 $			
14				Cinquième secondaire	
15				Groupe 51	1 350 $
16					
17	Moyenne	1 440 $			

B6   fx =SOMME(B2:B5)

Comment tracer un graphique ?

Voici une procédure qui permet de construire un graphique à l'aide d'un tableur.

1) Sélection de la plage de données

2) Sélection de l'assistant graphique

3) Choix du type de graphique

4) Confirmation des données pour le graphique

5) Choix des options du graphique

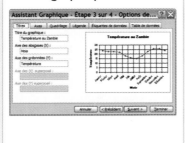

6) Choix de l'emplacement du graphique

7) Tracé du graphique

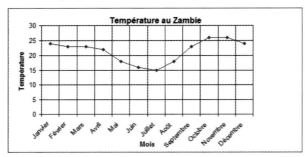

Après avoir tracé le graphique, on peut en modifier les différents éléments en double-cliquant sur l'élément que l'on veut modifier : titre, échelle, légende, quadrillage, tracé du graphique, etc.

Voici différents types de graphiques que l'on peut construire à l'aide du tableur.

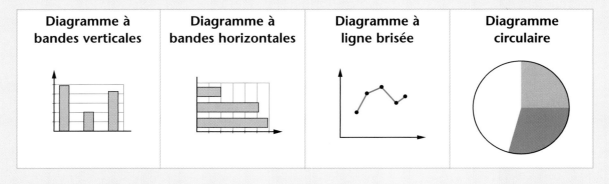

| Diagramme à bandes verticales | Diagramme à bandes horizontales | Diagramme à ligne brisée | Diagramme circulaire |

Logiciel de géométrie dynamique

Un logiciel de géométrie dynamique permet de tracer et de déplacer différents objets dans un espace de travail. L'aspect dynamique de ce type de logiciel permet d'explorer et de vérifier des propriétés géométriques et de valider des constructions.

L'espace de travail

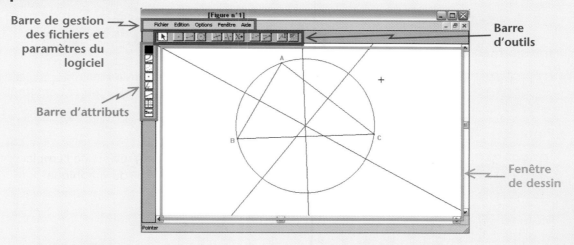

Barre de gestion des fichiers et paramètres du logiciel

Barre d'attributs

Barre d'outils

Fenêtre de dessin

L'aspect des différents curseurs et leur signification

$+$	Curseur lors du déplacement dans la fenêtre de dessin.
	Curseur pour désigner un objet.
Quel objet ?	Curseur apparaissant lorsqu'il y a plusieurs objets.
	Curseur permettant le tracé des objets.
	Curseur désignant le déplacement possible d'un objet.
	Curseur permettant de travailler dans la barre de gestion des fichiers et dans la barre d'outils.

Différents menus que l'on peut retrouver dans un logiciel de géométrie dynamique

Pointeurs

Le menu *Pointeurs* permet de **sélectionner un objet** dans le but de le **déplacer**, de le faire **tourner** autour d'un point, de l'**agrandir** ou de le **réduire**.

Points

Le menu *Points* permet de construire un point **dans le plan, sur un objet** déjà existant ou à l'**intersection de deux objets** déjà existants.

Lignes

Le menu *Lignes* permet de tracer une **droite**, un **segment**, une **demi-droite**, une flèche de translation (**vecteur**) ainsi que différents **polygones**.

Courbes

Cercle Arc	Le menu *Courbes* permet de tracer un **cercle** ou un **arc de cercle**.

Constructions

Droite perpendiculaire Droite parallèle Milieu Médiatrice Bissectrice Compas Report de mesure	Le menu *Constructions* permet de tracer une **droite perpendiculaire** ou une **droite parallèle**, un point **milieu**, une **médiatrice** et une **bissectrice**. L'outil **compas** permet de tracer un cercle et l'outil **report de mesure** permet de reporter une mesure sur un autre objet.

Transformations

Symétrie axiale Translation Rotation Homothétie	Le menu *Transformations* permet d'effectuer quatre transformations géométriques : **symétrie axiale** (réflexion), **translation**, **rotation** et **homothétie**.

Propriétés

Aligné ? Parallèle ? Perpendiculaire ? Équidistant ? Appartient ?	Le menu *Propriétés* permet de vérifier les propriétés suivantes : si des points sont **alignés**, si des droites sont **parallèles** ou **perpendiculaires**, si des points sont **équidistants** et si un point **appartient** à un objet.

Mesures

Distance et longueur Aire Mesure d'angle Coord. et équation Calculatrice	Le menu *Mesures* permet de calculer des **distances**, des **longueurs**, l'**aire** de figures, des **mesures d'angles** ou les **coordonnées** d'un point dans un plan cartésien. Il permet également d'utiliser une **calculatrice**.

Affichage

Nommer Texte Nombre Marquer un angle Punaiser/Dépunaiser Trace Animation Animation multiple	Le menu *Affichage* permet de **nommer** les objets, d'insérer du **texte** ou des **nombres**, de **marquer un angle**, de **fixer un point** (punaiser/dépunaiser), de laisser une **trace** et d'**animer** les objets.

Aspect

Cacher/Montrer Couleur Remplir Épaisseur Pointillé Aspect Montrer les axes Nouveaux axes Grille	Le menu *Aspect* permet de **cacher** ou de **montrer** des objets, d'ajouter de la **couleur**, de **remplir** de couleur, de changer l'**épaisseur** des traits ou de les mettre en **pointillé**, de changer l'**aspect** de certains objets, d'afficher les **axes** d'un plan cartésien ainsi qu'une **grille**.

Exemple : Tracé des trois médianes d'un triangle

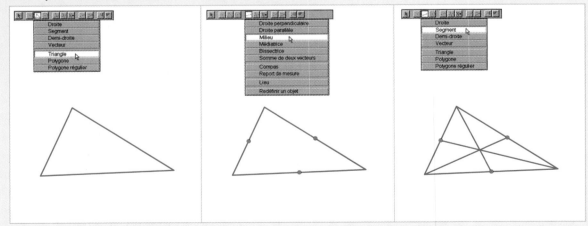

Recherche dans Internet

Les annuaires et les moteurs de recherche

Il existe deux types de sites qui permettent de faire des recherches : des annuaires et des moteurs de recherche. Les annuaires, comme leur nom l'indique, sont des répertoires de sites tandis que les moteurs de recherche sont des robots qui parcourent le Web à la recherche de nouvelles pages.

Exemple d'une recherche sur le Web

Champ de recherche

Titre de la page trouvée

Adresse du site Web

Texte tiré de la page trouvée

Résultats de recherche

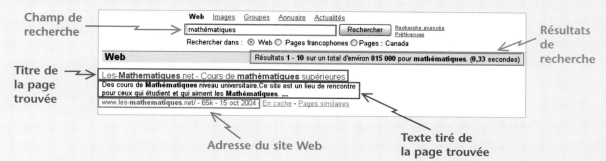

Recherche avancée

Dans les moteurs de recherche, on peut faire une recherche avancée qui permet de sélectionner des options avant de lancer la recherche.

Recherche d'images

Il est également possible de rechercher des images directement à partir du moteur de recherche. Il suffit d'aller dans la section « Images ». Une recherche avancée est aussi disponible pour les images.

Recherche dans les annuaires

Pour réaliser une recherche dans un annuaire, il suffit dans un premier temps de choisir la catégorie désirée. Par la suite, il y aura des sous-catégories ainsi que des pages Web suggérées qui permettront de raffiner la recherche.

TECHNOLOGIES

Notations et symboles

Notations et symboles	Signification	Exemple d'écriture
^-a	Opposé du nombre a	$^-7$ est l'opposé de 7
$\frac{1}{a}$ ou a^{-1}	Inverse de a	$\frac{1}{5}$ ou 5^{-1} est l'inverse de 5
a^2	La deuxième puissance de a ou a au carré	9^2
a^3	La troisième puissance de a ou a au cube	4^3
%	Pourcentage	15 %
( )	Parenthèses. Indiquent les opérations à effectuer en premier.	$3 \times (2 + 6)$
{ }	Accolades. Utilisées pour énumérer les objets faisant partie d'un ensemble.	Ensemble des résultats possibles lors du lancer d'un dé : {1, 2, 3, 4, 5, 6}
=	... est égal à ...	$3 + 4 = 7$
≠	... n'est pas égal à ... ou ... est différent de ...	$5 + 2 \neq 8$
<	... est inférieur à ...	$4 < 7$
>	... est supérieur à ...	$8 > 2$
≤	... est inférieur ou égal à ...	$x \leq 9$
≥	... est supérieur ou égal à ...	$x \geq 5$
≈	... est à peu près égal à ...	$4{,}2 \times 2{,}1 \approx 8$
≅	... est isométrique à ...	$\overline{AB} \cong \overline{BC}$
≙	... correspond à ...	1 cm $\triangleq$ 2,5 km
Ω	Se lit oméga. L'univers des résultats possibles d'une expérience aléatoire.	Lors du lancer d'un dé : Ω = {1, 2, 3, 4, 5, 6}
▬	Segment	$\overline{AB}$
m ▬	Mesure d'un segment	m $\overline{AB}$ = 2 cm
//	... est parallèle à ...	d_1 // d_2
⊥	... est perpendiculaire à ...	$d_1 \perp d_2$
∠	Angle	∠ A
m ∠	Mesure de l'angle	m ∠ A = 45°
△	Triangle	△ ABC
⌐	Désigne un angle droit dans une figure géométrique plane.	
▬°	Degré. Unité de mesure des angles.	12°

Énoncés de géométrie

	Énoncés	Exemples
1.	Si deux droites sont parallèles à une troisième, alors elles sont aussi parallèles entre elles.	Si $d_1 \parallel d_2$ et $d_2 \parallel d_3$, alors $d_1 \parallel d_3$.
2.	Si deux droites sont perpendiculaires à une troisième, alors elles sont parallèles.	Si $d_1 \perp d_3$ et $d_2 \perp d_3$, alors $d_1 \parallel d_2$.
3.	Si deux droites sont parallèles, toute perpendiculaire à l'une d'elles est perpendiculaire à l'autre.	Si $d_1 \parallel d_2$ et $d_3 \perp d_2$, alors $d_3 \perp d_1$.
4.	Des angles adjacents dont les côtés extérieurs sont en ligne droite sont supplémentaires.	Les points A, B et D sont alignés. $\angle$ ABC et $\angle$ CBD sont adjacents et supplémentaires.
5.	Des angles adjacents dont les côtés extérieurs sont perpendiculaires sont complémentaires.	$\overline{AB} \perp \overline{BD}$ $\angle$ ABC et $\angle$ CBD sont adjacents et complémentaires.
6.	Les angles opposés par le sommet sont isométriques.	$\angle 1 \cong \angle 3$ $\angle 2 \cong \angle 4$
7.	Si une droite coupe deux droites parallèles, alors les angles alternes-internes, alternes-externes et correspondants sont respectivement isométriques.	Si $d_1 \parallel d_2$, alors les angles 1, 3, 5 et 7 sont isométriques et les angles 2, 4, 6 et 8 sont isométriques.
8.	Dans le cas d'une droite coupant deux droites, si deux angles correspondants (ou alternes-internes ou encore alternes-externes) sont isométriques, alors ils sont formés par des droites parallèles coupées par une sécante.	Dans la figure de l'énoncé 7, si les angles 1, 3, 5 et 7 sont isométriques et les angles 2, 4, 6 et 8 sont isométriques, alors $d_1 \parallel d_2$.
9.	Si une droite coupe deux droites parallèles, alors les paires d'angles internes situées du même côté de la sécante sont supplémentaires.	Si $d_1 \parallel d_2$, alors m $\angle 1$ + m $\angle 2 = 180°$ et m $\angle 3$ + m $\angle 4 = 180°$.
10.	La somme des mesures des angles intérieurs d'un triangle est 180°.	m $\angle 1$ + m $\angle 2$ + m $\angle 3 = 180°$.
11.	Les éléments homologues de figures planes isométriques ont la même mesure.	$\overline{AD} \cong \overline{A'D'}$, $\overline{CD} \cong \overline{C'D'}$, $\overline{BC} \cong \overline{B'C'}$, $\overline{AB} \cong \overline{A'B'}$ $\angle$ A $\cong \angle$ A', $\angle$ B $\cong \angle$ B', $\angle$ C $\cong \angle$ C', $\angle$ D $\cong \angle$ D'

Constructions géométriques

Construction d'un angle

Pour construire un angle d'une mesure donnée, on peut utiliser un rapporteur.

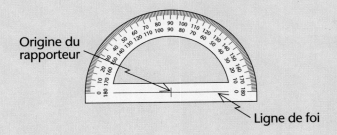

Origine du rapporteur

Ligne de foi

Exemple : Construction d'un angle de 120°

1) On trace une demi-droite pour représenter un côté de l'angle.

2) On place le rapporteur comme ci-dessous.

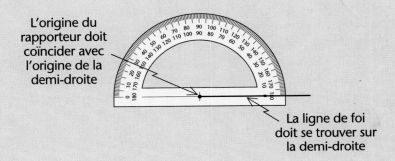

L'origine du rapporteur doit coïncider avec l'origine de la demi-droite

La ligne de foi doit se trouver sur la demi-droite

3) On fait un trait vis-à-vis la mesure de l'angle désiré.

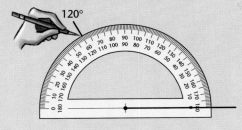

120°

4) On relie le trait à l'origine de la demi-droite.

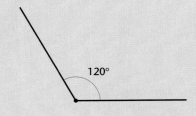

120°

Rotation

Pour tracer l'image d'une figure par une **rotation** :

Avec un logiciel de géométrie dynamique

1° On trace le centre de rotation.

2° On trace la figure initiale.

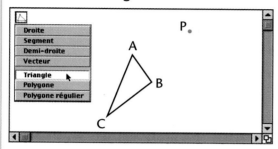

3° On écrit un nombre correspondant à l'angle de rotation, par exemple 100°.

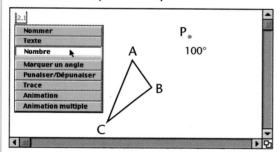

4° Après avoir choisi la transformation désirée, soit la rotation, on sélectionne la figure initiale, le centre et l'angle de rotation afin d'obtenir la figure image.

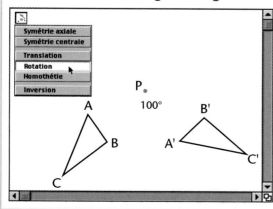

À partir d'une flèche de rotation avec des instruments de géométrie

1° Du centre de rotation, on trace des cercles passant par chaque sommet de la figure.

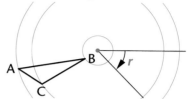

2° Pour chaque cercle, on donne au compas une ouverture correspondant à l'arc intercepté par l'angle de rotation.

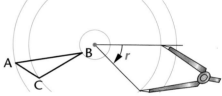

3° On reporte cet arc à partir du sommet de la figure, dans le sens indiqué par la flèche de rotation. On repère ainsi l'image de chaque sommet.

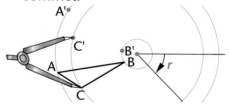

4° On relie les points obtenus de la même façon que les points de la figure initiale.

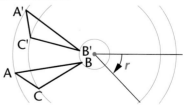

Lorsque la mesure de l'angle de rotation est donnée en degrés, on utilise un rapporteur pour bâtir une flèche de rotation. On utilise ensuite la démarche donnée ci-dessus.

Translation

Pour tracer l'image d'une figure par une **translation** :

Avec un logiciel de géométrie dynamique

1° On trace la flèche de translation.

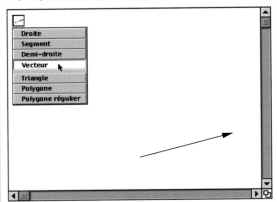

2° On trace la figure initiale.

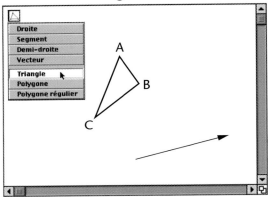

3° Après avoir choisi la transformation désirée, soit la translation, on sélectionne la figure initiale et la flèche de translation afin d'obtenir la figure image.

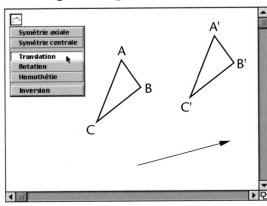

À partir d'une flèche de translation avec des instruments de géométrie

1° On trace des droites parallèles à la flèche de translation passant par chaque sommet de la figure.

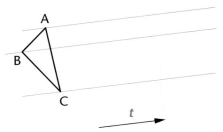

2° On prend la longueur de la flèche de translation avec un compas.

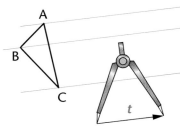

On peut utiliser une règle plutôt qu'un compas pour mesurer la flèche et reporter les longueurs.

3° À l'aide du compas, et dans le sens de la flèche de translation, on reporte sur chaque droite parallèle une distance égale à la longueur de la flèche de translation. On repère ainsi l'image de chaque sommet.

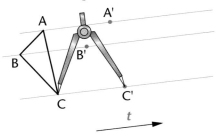

4° On relie les points obtenus de la même façon que les points de la figure initiale.

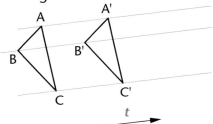

SAVOIRS

Réflexion

Pour tracer l'image d'une figure par une **réflexion** :

Avec un logiciel de géométrie dynamique

1° On trace l'axe de réflexion.

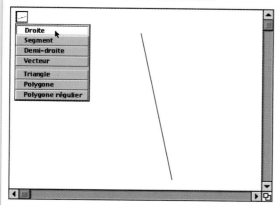

2° On trace la figure initiale.

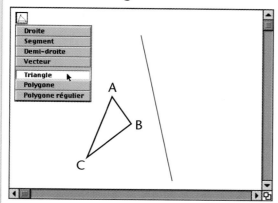

3° Après avoir choisi la transformation désirée, soit la réflexion aussi appelée symétrie axiale, on sélectionne la figure initiale et l'axe de réflexion afin d'obtenir la figure image.

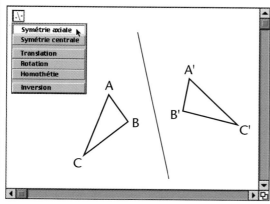

À partir d'un axe de réflexion avec des instruments de géométrie

1° On trace des droites perpendiculaires à l'axe de réflexion passant par chaque sommet de la figure.

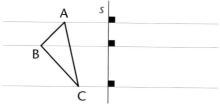

2° Pour chaque droite perpendiculaire, on prend la longueur du segment joignant le sommet de la figure initiale à l'axe de réflexion.

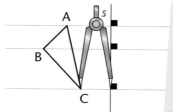

> On peut utiliser une règle plutôt qu'un compas pour mesurer les segments et reporter les longueurs.

3° On reporte sur chaque droite perpendiculaire la longueur de l'autre côté de l'axe. On repère ainsi l'image de chaque sommet.

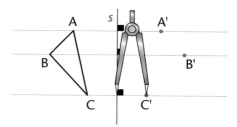

4° On relie les points obtenus de la même façon que les points de la figure initiale.

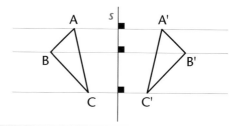

SAVOIRS

Repères

A

Abscisse, p. 125

Addition, p. 15-134

Aire
Mesure d'une surface délimitée par une figure. L'aire se mesure en unités carrées.
Ex. : L'aire de ce rectangle est de 6 u².

Angle, p. 166

Angles adjacents, p. 198

Angle aigu, p. 166

Angles alternes-externes, p. 199

Angles alternes-internes, p. 199

Angles complémentaires, p. 198

Angles correspondants, p. 199

Angle droit, p. 166

Angle nul, p. 166

Angle obtus, p. 166

Angles opposés par le sommet, p. 197

Angle plat, p. 166

Angle plein, p. 166

Angle rentrant, p. 166

Angles supplémentaires, p. 198

Arête
Ligne d'intersection entre deux faces d'un solide. Ex. :

Arrondir, p. 35

Associativité, p. 15, 25

Axe de réflexion, p. 185

Axe des abscisses (axe des *x*), p. 125

Axe des ordonnées (axe des *y*), p. 125

Axe de symétrie, p. 186

B

Base d'une exponentiation, p. 68

(colonne de droite)

Bissectrice, p. 186

C

Caractère, p. 43

Caractère de divisibilité, p. 77

Caractère qualitatif, p. 43

Caractère quantitatif, p. 43

Carré
Quadrilatère ayant tous ses côtés isométriques et tous ses angles isométriques.
Ex. :

Cercle
Ligne fermée dont tous les points sont à égale distance d'un même point appelé centre.
Ex. :

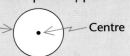

Chiffre
Caractère utilisé dans l'écriture des nombres. Les chiffres de notre système de numération sont 0, 1, 2, 3, 4, 5, 6, 7, 8 et 9.

Circonférence
Longueur ou périmètre d'un cercle.

Commutativité, p. 15, 25

Coordonnées d'un point, p. 125

Corde
Segment joignant deux points quelconques du cercle. Ex. :

Crible d'Ératosthène, p. 76

D

Dallage, p. 192

Demi-droite
Portion d'une droite limitée par un de ses points appelé origine.
Ex. : Demi-droite dont l'origine est A :

Diagramme à bandes, p. 44

Diagramme à ligne brisée, p. 44

Diamètre
Segment qui correspond à une corde passant
par le centre du cercle.
Ex. :

Diamètre

Différence, p. 15

Distribution
Ensemble des données recueillies au cours
d'une étude statistique.
Ex. : La distribution suivante indique le
nombre de buts comptés par chacun
des joueurs d'une équipe de hockey
durant la saison : 0, 1, 17, 38, 23, 2, 0,
1, 2, 10, 4, 3, 0, 1, 3, 21.

**Distributivité de la multiplication
sur l'addition et la soustraction,** p. 25

Dividende, p. 25

Diviseur, p. 25

Division, p. 25, 143

Droite
Ligne formée d'une infinité de points alignés.
Ex. : Droite d :

d

Droites parallèles, p. 176

Droites perpendiculaires, p. 185

Droites sécantes, p. 197

E

Effectif, p. 43

Élément absorbant, p. 25

Élément neutre, p. 15, 25

Estimation, p. 35

Étendue, p. 43

Exponentiation, p. 68, 143

Exposant, p. 68

F

Facteur, p. 25

Factorisation, p. 77

Factorisation première, p. 77

Figure image, p. 167

Figure initiale, p. 167

Figures isométriques, p. 167

Figure symétrique, p. 186

Figures symétriques, p. 186

Forme développée d'un nombre, p. 8

G

Graphique
Mode de représentation d'une situation à
l'aide de points, d'une ligne ou d'un
ensemble de lignes afin d'en faciliter l'analyse.

I

Inventaire, p. 43

Isométrie, p. 197

L

Losange
Parallélogramme ayant tous ses côtés
isométriques. Ex. :

M

Médiatrice, p. 186

Mise en évidence, p. 25

Modalité, p. 43

Moyenne, p. 94

Multiplication, p. 25, 143

N

Nombre composé, p. 77

Nombre entier, p. 118

Nombre impair
Nombre entier qui n'est pas divisible par 2.
Ex. : ⁻3, 7, 11.

Nombre naturel
Nombre qui appartient à la suite 0, 1, 2, 3, …

Nombres opposés, p. 118

Nombre pair
Nombre entier qui est divisible par 2.
Ex. : ⁻4, 6, 20.

Nombre premier, p. 77

SAVOIRS

O

Opérations inverses, p. 15, 25

Ordonnée, p. 125

Ordre croissant, p. 8

Ordre décroissant, p. 8

Origine d'un plan cartésien, p. 125

P

Palindrome, p. 7

Parallélogramme
Quadrilatère ayant deux paires de côtés
opposés parallèles.
Ex. : $\overline{AB}$ // $\overline{CD}$
$\overline{AD}$ // $\overline{BC}$

Pas de graduation, p. 44

Périmètre
Longueur de la ligne fermée qui correspond à
la frontière d'une figure plane.
Ex. : Le périmètre d'un triangle ayant des
côtés mesurant 4 cm, 6 cm et 7 cm est
17 cm.

Plan cartésien, p. 125

Plus grand commun diviseur (PGCD), p. 84

Plus petit commun multiple (PPCM), p. 84

Polygone
Figure plane formée par une ligne brisée
fermée. Ex. :

Polygones

Nombre de côtés	Nom du polygone
3	Triangle
4	Quadrilatère
5	Pentagone
6	Hexagone
7	Heptagone
8	Octogone
9	Ennéagone
10	Décagone
11	Hendécagone
12	Dodécagone

Population, p. 43

Position, p. 8

Priorités des opérations, p. 94

Produit, p. 25

Puissance, p. 68

Q

Quadrant, p. 125

Quotient, p. 25

R

Rayon
Segment joignant un point quelconque
du cercle à son centre.
Ex. :

Rayon

Recensement, p. 43

Rectangle
Quadrilatère ayant quatre angles droits et
deux paires de côtés opposés isométriques.
Ex. :

Réflexion, p. 185

Rotation, p. 167

S

Sécante, p. 197

Segment
Portion de droite limitée par deux points.
Ex. : Segment AB.

A   B

Somme, p. 15

Soustraction, p. 15, 134

T

Tableau
Mode de représentation permettant de
présenter une série de données d'une façon
claire et concise pour faciliter la consultation.
Ex. :

Nom du fleuve	Longueur (km)
Mackenzie	4100
Saint-Laurent	3700
Yukon	3290

SAVOIRS

Tableau de distribution, p. 43

Terme (d'une addition ou d'une soustraction), p. 15

Transformation géométrique, p. 167

Translation, p. 176

Trapèze
Quadrilatère ayant une paire de côtés parallèles.
Ex. : $\overline{AB}$ // $\overline{CD}$

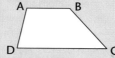

Trapèze isocèle
Trapèze ayant deux côtés isométriques.
Ex. :

Triangle de Pascal, p. 67

Triangle équilatéral
Triangle ayant tous ses côtés isométriques.
Ex. :

Triangle isocèle
Triangle ayant deux côtés isométriques.
Ex. :

Triangle rectangle
Triangle ayant un angle droit.
Ex. :

U

Unité de mesure
De façon générale, on utilise comme :
– unité de longueur : le mètre (m);
– unité de masse : le kilogramme (kg);
– unité de capacité : le litre (L);
– unité de température : le degré Celsius (°C);
– unité de temps : la seconde (s).

V

Valeur, p. 43

Valeur de position, p. 8

Volume
Mesure de l'espace occupé par un solide.
Le volume se mesure en unités cubes.
Ex. : Le volume de ce cube est de 64 u³.

Crédits photographiques